역설의 힘

역설의 힘

초판 1쇄 발행 2022년 9월 10일

지은이 천공
펴낸이 정성욱
펴낸곳 더소울

편집 정성욱
마케팅 정민혁

출판신고 2022년 3월 29일 제 2022-000060호
전화 02)732-2530 | FAX 02)732-2531
이메일 jspoem2002@naver.com

© 천공, 2022
ISBN 979-11-979343-3-9 (03100)

* 이 책은 저작권법에 따라 보호받는 저작물이므로 무단전제와 무단복제를 금지하며 이 책 내용의 전부 또는 일부를 이용하려면 반드시 저작권자와 더소울의 서면 동의를 받아야 합니다.
* 이 책의 국립중앙도서관 출판시 도서목록은 서지정보유통시스템 홈페이지(http://seoji.nl.go.kr)와 국가자료공동목록시스템(www.nl.go.kr/kolisnet)에서 이용하실 수 있습니다.
* 잘못된 책은 구입하신 서점에서 바꿔 드립니다.
* 책값은 뒤표지에 있습니다.

여러분의 소중한 원고를 기다립니다.
jspoem2002@naver.com

힘든 시대를 관통하는 현자의 역설

역설의 힘

천공 지음 | 정성욱 해설

더
소울

어른이 없는 시대

모두가 힘든 시대를 살고 있다. 세계정세는 코로나19 팬데믹과 미중 갈등, 러시아와 우크라이나 전쟁, 중국의 대만 침공 조짐 등 한 치 앞을 바라볼 수 없을 정도로 점점 미궁 속을 향해 가고 있고, 북한은 호시탐탐 남한의 분열을 획책하고 있다.

정치인들은 민생과 경제는 제쳐두고 눈만 뜨면 오직 자기 밥그릇만 챙기기에 급급하다. 게다가 사회는 보수와 진보, 좌파와 우파의 첨예한 갈등으로 인해 날마다 분열로 치닫고 있고 이대로 가면 대한민국의 앞날은 불 보듯 뻔하다. 그 모든 대가代價는 국민이 치를 수밖에 없다. 이 나라를 이 지경으로 만든 장본인은 과연 누구일까?

본디 인간의 본성本性은 선하지만 성장하면서 '높고 낮음, 많고 적음, 넓고 좁음, 길고 짧음'의 네 극단으로 향하는데 이것이 인간의 욕망을 키우는 원인이 된다. 그러나 역설적으로 보면, 이것에 의해 세상이 움직이고 있으므로 네 극단이 꼭 나쁘다고만 볼 수 없다. 문제는 극에 달한 인간의 이기심이다.

일찍이 석가모니는 수행 중에 양극단을 경계하라고 설했고, 예수는 오직 천국만을 지향했다. 하지만 '높고 낮음, 많고 적음, 넓고 좁음, 길고 짧음' 의 이 네 극단을 권력과 재물, 직업과 수명에 각각 대입해보면, 모두 인간의 욕망과 직결됨을 알 수 있다. 지금 국내외 정세가 안개 속에 갇혀 앞이 보이지 않는 건, 인간의 마음속에서 이 네 극단이 서로 충돌하고 있기 때문인데 우리는 앞으로 과거와 현재, 현실과 이상 사이에 생긴 간극間隙을 줄여 나가지 않으면 안 된다.

지금 우리 사회는 냉철한 꾸짖음을 줄 수 있는 어른의 가르침이 절실하다. 그런데 언제부턴가 우리 시대에는 그런 어른이 사라지고 없다. 실로 가슴 아프고 통탄할 일이다. 설령, 가르침을 준다고 해도 그것을 온전히 받아들일 환경과 자세가 준비되어 있지 않다. 이러한 시대에 과연 어떤 어른이 제대로 가르침을 던져 줄 수 있을까? 심히 염

려스럽다.

또 하나의 '역설'을 세상에 내놓는다. 유튜브 강연 중 일상에 도움이 될 만한 것들을 뽑고 거기에 간략한 추론推論을 달았다. 이 책이 세상의 모든 이에게 따뜻한 위안이 되고 가르침이 된다면 더할 나위가 없을 것이다.

2022. 8. 31
천공

차례

제1의 법칙

:

사람이 사람다움으로 가는 길

혼을 다하라

> 예술의 본성本性은 예도藝道에 있으니
> 그 길은 마치 모래사막을 걷는 것처럼 멀고 험난하다.
> 예술이 타인의 마음을 움직이려면 술術을 넘어
> 각覺의 경지인 도道에 이르러야 한다.

예술의 근본은 예도에 있습니다. 도란 예를 행하는 자의 마음 자세와 정신을 가리키는데 다른 말로 혼을 뜻합니다. 작가의 혼이 담겨 있지 않은 작품은 감동을 줄 수 없으므로 '절차탁마切磋琢磨'의 긴 시간을 거쳐야만 훌륭한 작품을 탄생시킬 수 있습니다.

어떤 분야든지 가장 뛰어난 작품은 이 세상에 오직 하나만이 존재할 뿐입니다. 그러므로 예술을 추구하는 작가는 이러한 생각으로 작품을 하되, 자신의 재주를 뛰어넘어 깨달음의 경지인 도에 이르러야만 한다는 걸 한시도 잊어서는 안 됩니다. 이러한 각오 없이 예술을 해서는 안 됩니다. 이것이 바로 예술의 본성입니다.

자기 철학을 가져라

> 뚜렷한 목표와 자기 철학을 가진 자는
> 어떤 어려운 일도 능히 할 수 있으나
> 목표와 자기 철학이 없는 자는
> 등대 없는 깊은 어둠 속의 바다를
> 항해하는 것과 같아서 실패한다.

인생길은 등대 없는 어두운 바닷길과 같으므로 어떤 날은 맑고 어떤 날은 폭풍우가 몰아치는 것처럼 늘 변화무쌍합니다. 이런 세상을 살아가기 위해선 자기만의 뚜렷한 목표와 자기 철학이 있어야만 외부의 강력한 사물이 자신을 지속적으로 꺾는다고 하더라도 흔들리지 않고 능히 이길 수 있습니다. 이것을 만해 한용운은 '백절불굴의 참마음百折不回之眞心'이라고 했습니다.

당신은 세상을 살아가면서 단 한 번이라도 '백절불굴의

참마음'을 가진 적이 있습니까? 혹시 아무런 목표와 철학도 없이 자신이 처한 신세만을 한탄하면서 보내고 있는 건 아닌지요? 삶의 목표가 없으면 발전도 희망도 기대할 수 없습니다. 노력하면서 기다리는 자에게만 성공이 온다는 걸 명심하세요.

벗을 사귈 땐 신중하라

> 자기 철학과 가치관이 있는 친구를 사귀라.
> 그런 친구는 매사에 역동적이어서 배울 것이 많으나
> 자기 철학과 가치관이 없는 친구를 만나면
> 자기도 모르게 쉽게 물들어 매사에 곤란을 겪는다.

우리 표현에 '물든다'는 표현이 있습니다. '나뭇잎이 붉게 물든다'는 그 자체의 아름다운 의미도 있으나 원래 이 표현은 누군가에 의해 쉽게 동화되거나 동조가 된다는 뜻으로 부정적 의미로 많이 쓰입니다.

본디 사람의 인성은 혼자서 만들어지지 않고 어릴 적의 친구나 선배 등 주위 환경에 의해 많은 영향을 받습니다. 도둑놈과 함께 지내면 도둑놈이 되기 쉽고, 사기꾼과 함께 지내면 사기꾼이 되기 쉬운 것도 자신도 모르게 그들에게 물들기 때문이지요.

사람은 '어떤 물에서 노는가'가 중요합니다. 자신의 주위를 한 번 살펴보세요. 내가 성장하려면 역동적이고 진취적인 사람을 많이 만나야 합니다. 그렇지 못한 사람과 어울리게 되면 자신도 모르게 나뭇잎처럼 쉽게 물들어 큰 곤란을 겪게 됩니다.

한 자리에 머물지 마라

스스로 일을 찾아서 할 줄 아는 사람은
한자리에 안주安住하지 않으니
일에도 역동적이어서
성공의 월계관을 쓸 수 있으나
한자리에 만족하고 안주하는 이는
마치 앉은뱅이와 같아서 성장하지 못한다.
당신은 스스로 일을 찾아서 하는 사람인가?
한자리에 머무는 사람인가?

자신이 할 일을 찾아서 하는 사람과 그렇지 못한 사람의 차이는 하늘과 땅 차이입니다. 자신의 자리에 만족하고 안주하는 사람은 성장하지 못합니다. 야생의 동물이 사람이 던져주는 먹이만 먹다가 야생성을 잃어버리는 것과 같습니다. 이와 달리 새로운 일을 찾아서 스스로 일하는 사람은 매사에 역동적이기 때문에 크게 성장할 수 있습니다.

요즘처럼 하루가 다르게 변화하는 4차 산업 시대에는 단 하루도 안주할 수 없습니다. 늘 변화하는 시대에는 역동적인 삶을 살아야 합니다. 그런데 어떻습니까? 눈앞의 이익에만 눈이 멀어서 먼 미래를 보지 못하고 있는 건 아닐까요? 뜨거운 선방에서 오래 머물다 보면 엉덩이가 짓무르듯이 자신의 자리에 안주해서 오래 머무는 것은 결코 좋은 일이 아닙니다. 당신에게 주어진 시간은 많지 않습니다. 자신의 나은 미래를 위해서 항상 새로운 길을 찾아야 합니다.

속도가 아니라 방향이다

> 일을 시작하기 전에는 서두르지 말고
> 일의 성질을 잘 파악한 후 시작하라.
> 무슨 일이든 서두는 마음이 앞서게 되면
> 자신이 가진 능력을 다 발휘하지 못하게 된다.

일은 속도가 아니라 방향이 중요합니다. 우리 속담에 '천리 길도 한 걸음부터'라는 말이 있지요. 이는 '시작이 반이다'라는 말과 상통합니다. 하지만 요즘 같은 첨단 시대엔 이런 정신으로 일을 하다가는 한참 남에게 뒤질 수밖에 없습니다. 그만큼 속도를 요구하는 시대이기도 합니다.

그럴수록 일할 때는 반드시 지니고 있어야 할 마음 자세가 있습니다. 내가 하고자 하는 일에 대한 정확한 분석과 목표가 필요합니다. 그래야 내가 가야 할 방향이 결정

됩니다. 이때부터는 과감하고 자신감 있게 일을 처리해야 합니다. 그렇지 않고 일을 서두르다 보면 허둥대다가 자기의 능력을 제대로 발휘하지 못합니다. 그러므로 어떤 일을 시작할 때는 서둘지 말고 먼저 방향과 목표를 설정한 뒤 추진해야 실패하지 않습니다.

작은 물방울이 우주를 만든다

> 나란 존재는 작은 물방울에 지나지 않는다.
> 그러나 그 작디작은 물방울이
> 거대한 우주를 형성하고 있다는 걸 잊지 말라.

『천부경天符經』에 의하면, '우주는 천지인天地人 삼극三極 속에서 생生 장長 노老 병病 몰沒의 무한한 반복의 이치에 의해 창조된 것'이라고 합니다. 즉 우주는 하늘과 땅 사이에서 인간들이 생장生長해서 늙고 병들어 사라지는 무한한 반복 속에 있다고 합니다.

의미 없이 생겨난 존재는 이 세상에 하나도 없습니다. 나라는 존재는 천지 속의 한갓 작은 물방울에 지나지 않을 수도 있지만, 대자연의 이치에 의해 창조된 우주 속의 하나이므로 태어났다는 그 자체만으로도 위대합니다. 따라서 나는 대자연과 우주를 운용하는 하나의 개체입니다.

그러기에 참된 성품을 닦아 수행의 공덕을 이뤄 널리 광명 세계를 이롭게 하는 홍익인간으로 거듭나야 합니다.

나를 인도해줄 스승이 필요하다

> 삶이 힘든 이유는
> 바른 스승을 만나지 못해서이다.
> 나를 제대로 인도할 스승을 만나면
> 길고 길었던 고뇌에서
> 마침내 벗어날 수 있다.
> 지금이라도 나의 스승을 찾아라.

탈무드는 "나는 스승에게서 많은 걸 배웠으며 벗들에게서는 더 많은 것을, 그리고 제자들에게서는 훨씬 더 많은 것을 배웠다."고 하였습니다. 물론, 벗과 제자들에게서도 배움을 얻을 수도 있지만, 내 인생을 바꿀 스승은 그렇지 않습니다.

우리는 초등학교부터 대학교까지 수십여 명의 선생님으로부터 많은 걸 배웠지만 그 선생님들을 일일이 기억하지 못합니다. 왜일까요? 선생님은 단순한 지식의 전달자에 불과할 뿐, 내 인생의 가치관을 바꿀 만한 스승이 아니었기 때문입니다.

또 '볼리버 웬델 홈즈'는 "누군가가 말하는 것은 지식의 영역이지만 그것을 듣는 영역은 지혜다."라고 말했습니다. 아무리 뛰어난 선생님이 지식을 가르쳐준다고 해도 듣는 사람이 지혜가 없어서 제대로 알아들을 수 없다면 '소귀에 경 읽기'와 다를 바가 없습니다.

그렇다면 누가 지혜를 줄까요? 꽉 막힌 숨통을 열어줄 스승의 가르침입니다. 하루빨리 자신의 인생을 바꿀 스승을 찾으세요.

지혜를 증득增得하라

> 지금껏 우리가 배운 것은
> 알맹이 없는 지식에 불과한 것
> 이제는 당신이 배운 지식을 잘 운용하여
> 지혜를 증득해야 한다.

지금 인류는 지식의 포화상태입니다. 인간의 뇌는 하루에도 수십억 건에 달하는 지식과 정보를 쉴 새 없이 입력하고 버립니다. 인간의 뇌는 그로 인해 어느 날 갑자기 작동을 멈출지도 모릅니다. 더 큰 문제는 그 엄청난 지식 가운데 정작 자신이 필요한 정보가 하나도 없다고 착각하고 있다는 것입니다. 정말 그럴까요? 그건 지식과 정보를 받아들여 자신의 것으로 만들 만한 실력과 지혜를 갖추지 못하고 있기 때문입니다. 그래서 우리에겐 스승이 필요합니다. 그런데 어떻습니까? 일연의 선자先子들과 목사, 스님과 같은 종교 지도자들은 자신의 가르침이 마치 진리인 양 마구잡이로 사람들에게 주입시키고 있습니다. 하지만 아무리 좋은 가르침도 잘못 운용하면 무용지물일 뿐입니다. 그러나 지혜가 있는 사람은 필요 없는 정보와 지식은 버리고 유익한 것만 받아들여서 자신의 것으로 활용합니다. 이것이 지식과 정보의 홍수 속에서 살아남을 수 있는 유일한 방법입니다.

누구든 부자가 될 수 있다

> 성공과 실패는 따로 있는 게 아니며
> 부자와 거지도 따로 있는 게 아니다.
> 자신이 가지고 있는 이념과 철학이
> 성공과 실패를 가르며
> 부와 가난을 만든다는 것을 명심하라.

마라톤은 42.195km를 달리는 운동입니다. 여기에는 많은 전략을 필요로 합니다. 자신의 호흡과 운동 능력을 감안, 적절하게 체력을 안배해야 합니다. 어떤 운동선수는 처음부터 강하게 빨리 달리고 또 어떤 운동선수는 적절히 체력을 안배하여 막판에 속력을 내 결승점에 도달합니다. 그래서 마라톤을 곧잘 인생에 비유하기도 하지요.

인생도 마찬가지입니다. 적절한 이념과 자기 철학의 결과에 따라 성공과 실패가 결정됩니다. 인생을 아무런 이념도 철학도 없이 닥치는 대로 살면 불을 보듯 실패의 연속일 뿐입니다. 이런 사람이 부자가 된 예는 한 번도 없습니다. 대개 성공한 사람들을 보면 그들만의 뚜렷한 이념과 철학을 가지고 느리지만 하나씩 실천하면서 나아갑니다. 당신은 단 한 번이라도 그런 삶을 살려고 노력해본 적이 있나요?

정법의 길

> 모두가 행복한 삶을 누리려면
> 내가 먼저 타인을 이롭게 하는
> 마음을 가지고 있어야 한다.
> 이것이 홍익인간 정신이다.

이 지구는 우리 모두가 공동체적 삶을 사는 공간입니다. 그런데 각자가 자신의 이익에만 집착한다면 아마 이 지구는 아수라장이 되고 말 것입니다.

사실, 타인을 위해 내가 조금 손해를 본다는 생각으로 사는 것도 꽤 괜찮은 삶입니다. 그렇다고 부정한 것으로부터 손해 보고 살라는 게 아닙니다. 각자 남을 위하는 마음으로 살다 보면 좋은 세상이 되기 때문입니다.

정법은 다른 게 아니라 생각과 마음을 바르게 하는 공부입니다.

그렇다면 어떤 마음으로 사는 것이 올바른 법일까요? 편협된 생각에서 벗어나 바른 법을 증득하여 타인을 이롭게 하는 삶입니다. 이것이 홍익인간 정신입니다.

제2의 법칙

:

관습의 옷을 벗고 낡은 상식을 깨라

경청하는 마음

> 누군가가 나에게 어려움을 털어놓으면
> 외면하지 말고 귀담아 들어 줘라.
> 그 사람은 평생 나를 신임하고 따를 것이니
> 이것이 좋은 인연을 만드는 비책이다.

옛말에 "성공하려면 진실한 벗 셋만 두면 된다"고 했습니다. 좋은 벗이란 기쁠 때는 함께 기뻐하고, 슬플 때는 함께 슬퍼하고, 어려운 일이 생기면 서로 돕고 위로해주는 벗입니다.

필리핀의 오지 섬마을의 원주민들은 집마다 보물처럼 아끼는 목걸이를 하나씩 가지고 있습니다. 가장 믿을 만한 벗을 만나면 그 목걸이를 주고받은 뒤 평생 의형제를 맺는다고 합니다. 재미있는 건 그 섬마을에 사는 사람과는 의형제를 맺을 수 없고, 반드시 다른 지역 섬마을 사람들과 의형제를 맺는 것이 규칙입니다. 그래야 자신이 살고 있는 섬마을에 위급한 일이 생기면 이웃 섬마을에 도움을 요청할 수 있으니까요. 우리도 그들의 삶과 지혜를 배워야 합니다. 만약, 가까운 벗이 자신의 고민을 털어놓으면 진실한 마음으로 귀담아 들어주세요. 그렇게 되면 관계가 더욱 돈독해지고 평생 좋은 인연이 될 것입니다.

✡ 세상을 이롭게 하는 사람이 되라

> 인류가 나아가야 할 방향이 있다면
> 그것은 바로 실천하는 홍익인간이니
> 세상을 널리 이롭게 하는 자만이
> 이 지구를 행복한 꽃밭으로 만들 수 있다.

삶의 목적은 무엇일까요? 태어났으니까 "그냥 산다"라고 생각할지도 모르겠습니다만 꼭 명심해야 할 게 있습니다. 나는 부모님의 사랑으로 인해 태어난 존재가 아니라 수억 겁의 인연의 결과물이라는 겁니다. 만약, 조상 중에 단 한 분이라도 없었다면, 지금의 나는 존재하지 않았을 겁니다. 그만큼 나는 소중한 존재입니다.

그런데 어떻습니까? 지금의 순간을 헛되게 보내거나 자신만을 위해 살고 있지는 않나요. 살면서 의미 있는 일을 해야 합니다. 지금 우리가 풍요를 누리고 있는 것도 조상과 타인의 희생이 있었기에 가능했던 것입니다. 미래도 마찬가지입니다. 조상들이 그랬던 것처럼 후손들을 위해 의미 있는 씨앗을 심어 두어야 합니다. 그게 홍익인간 정신입니다. 남을 위해 이로운 일을 하는 건 어려운 일이 아니라 자신의 마음먹기에 달려있습니다. 이기적인 사람은 절대로 홍익인간이 될 수 없습니다. 개개인이 홍익 정신을 가지고 있다면 이 지구는 늘 행복한 꽃밭으로 가득할 것입니다.

✡ 상식의 모순과 오류에서 벗어나라

> 과거의 지식이 모여서 만든 상식常識은
> 새장 속의 새처럼 자신을 가두어서
> 오히려 자신의 성장을 방해할 수 있으니
> 상식의 모순에 갇히는 것을 경계하라.

새장에 갇힌 새는 세상을 알지 못합니다. 어쩌면 새는 자신이 날개를 가지고 있다는 사실조차 모를 것입니다. 당신도 마찬가지일 수 있습니다. 상식이라는 새장에 갇혀 자신이 가진 능력을 제대로 발견하지 못하고 있는 것은 아닌지요.

오늘날 사회는 개인에게 과거의 낡은 관습과 상식을 지나치게 강요하고 그로 인해 개인의 능력을 제대로 발휘하지 못하는 결과를 초래하고 있습니다. 이것이 바로 상식이 가지고 있는 크나큰 모순입니다. 사회가 이러한 상식의 모순에 자꾸 빠지게 되면 구성원인 개인은 더이상 성장하지 못하게 됩니다.

한 번쯤 자신을 뒤돌아보세요. 새장 속의 새처럼 상식에 갇혀서 성장하지 못하고 있는 것은 아닌지 자신을 잘 살펴보라는 것입니다. 미래는 새로운 문을 두드리는 사람에게만 열립니다. 지금부터라도 낡은 관습과 상식을 버리고 자신만의 새로운 것을 추구하세요. 상식은 그저 지식이 모여 만들어진 것일 뿐, 그것이 진리가 아님을 반드시 인식하세요.

편협된 생각에서 벗어나라

자신만의 편협된 생각을 가지고
남에게 강요하는 것은
어리석고 바보 같은 일이다.
남의 말을 먼저 경청한 뒤
자신의 의견을 전달하라.

세상은 더불어 사는 공동체입니다. 이런 사회에서 자신만의 편협된 생각으로 남을 내 편으로 만들려고 하는 건 실로 바보 같고 어리석은 일입니다. 사회를 움직이는 건 편협된 생각이 아니라 합리적인 생각입니다. 알고 보면 합리적인 고집이 더 큰 힘을 발휘합니다. 합리적인 고집이란 만인이 수긍하는 보편타당한 생각을 믿고 자신의 힘으로 나아가는 것을 가리킵니다. 이것이 바로 사회를 움직이는 힘입니다.

그러므로 공동체적 삶에서 가장 중요한 것은 타인의 생각이나 견해를 경청하는 자세입니다. 아무리 자신의 견해가 옳다고 생각되더라도, 상대방의 말을 끝까지 경청하는 건 예의이자 그 사람에 대한 배려입니다. 그래야 합리성을 도출할 수 있습니다. 이런 사람은 어떤 일을 하더라도 능히 해낼 수 있으며 많은 사람으로부터 존경받습니다. 성공하려면 항상 남의 말을 경청하는 자세를 먼저 가지세요. 그런 뒤에 자신의 의견을 피력해도 늦지 않습니다.

✡ 정치인과 지식인들의 오류

> 한국의 모든 분야가 정체된 가장 큰 이유는
> 이 나라의 정치인과 지식인들이
> 그들만의 상식을 만들어서 그게 답이라고
> 젊은이들에게 강요하기 때문이다.
> 그들이 쏟아낸 상식들은 모순덩어리에 불과하다.

지금 대한민국의 성장이 정체된 이유는 무엇일까요? 그 원인은 한국 사회를 움직이고 있는 중추적인 인물인 지식인과 정치인들이 그들만의 상식을 만들어서 그것을 답이라고 국민에게 강요하고 있기 때문입니다. 그런데 그 답들을 자세하게 살펴보면 거의 모순덩어리입니다.

서양을 살펴보면 훌륭한 지식인과 정치인들은 사회를 통합하는 사유의 힘을 가지고 있고, 사회의 문제점을 파악한 뒤 이를 과감하게 고쳐나갑니다. 그런데 한국의 정치인과 지식인들은 어떤가요? 이들의 더 큰 문제는 오래된 관습과 법이 잘못된 길로 가고 있다는 걸 알면서도 고치지 않고 그저 방관하고 있다는 사실입니다. 과거의 지식이 현재를 움직일 수 없고, 낡은 법이 지금의 사회를 발전시킬 수 없습니다. 관습으로 굳어진 잘못된 상식을 고쳐서 미래로 나아가는 새로운 법을 만드는 것이 오늘날 지식인과 정치인들이 해야 할 몫입니다.

상식을 버려야 발전한다

> 상식대로 하자는 것보다
> 더 무서운 말은 없다.

간혹, 어떤 일을 할 때 우리는 "상식대로 하자"고 합니다. 이것은 개인의 의지나 생각에 상관없이 그냥 "순리에 맞게 따르자"는 뜻입니다. 물론, 맞는 말입니다. 그러나 시시각각으로 세상은 급변하고 있는데 아직도 정치인들이 상식에 갇힌 발상이나 행동들을 하는 걸 보면 도저히 이해가 안 됩니다. 이것은 나라의 발전을 저해하는 요인이 됩니다.

법은 보편타당하고 모두가 합리적이라고 생각할 때 그 이상의 가치가 있지만 상식은 그렇지 않습니다. 좋은 관습일지라도, 시간이 지나면 현실에 부합되지 않는 것이 더 많습니다. 그런 까닭에 시대에 따라서 우리가 알고 있는 관습과 상식도 변해야 합니다.

그런데 어떻습니까? 우리나라는 정치·경제·사회·문화 전 분야에 걸쳐서 관료들이 아직도 구태의연한 상식에 머물러 있어서 새로운 정책 아이디어를 펴내지 못하고 오히려 과거의 정책만을 답습하고 있습니다. 그러니 이 나라가 어떻게 발전하겠습니까? 잘못된 상식은 과감하게 버려야 한국의 미래가 있습니다.

날마다 새로운 마음으로 시작하라

> 어제보다는 오늘, 오늘보다는 내일
> 좀 더 발전하겠다는 마음으로 일하라.
> 그래야 새로운 감각이 일어난다.
> 한곳에서 머뭇거리면 성장할 수 없다.

우리는'시작이 반' 혹은 '첫 마음으로 일하라.' 고들 합니다. 전자는 '어떤 일을 시작하려고 할 때 그 두려움 때문에 일을 제대로 하지 못하는 사람에게 용기'를 주기 위해서 하는 말이고, 후자는 '처음 일을 시작할 때 가졌던 그 마음을 변치 말라'는 의미입니다. 그러나 이 두 말은 요즘 같이 급변하는 시대에는 전혀 어울리지 않습니다.

누구든 사업을 시작할 때는 자신의 환경과 사회 환경을 고려 심사숙고한 뒤 두 환경이 딱 맞는 순간이 올 때까지 기다리는 인내가 필요합니다. 여기에서 환경이란 자본금

등 자신의 여건과 사회 여건을 말하는데 두 환경이 딱 맞을 때는 주저 없이 사업을 시작해도 됩니다. 그리고 사업을 벌인 뒤에는 날마다 어제보다는 오늘, 오늘보다는 내일 좀 더 발전하겠다는 새로운 마음으로 일에 매진해야 합니다. 이것이 성공의 비결입니다.

✡ 남들처럼 해서는 성장하지 못한다

> 성공하려면 상식이 가진 모순을 뛰어넘어
> 자신만의 지혜를 구축해야 한다.
> 그동안 자신이 알고 있었던
> 상식을 뛰어넘는 자만이
> 새로운 미래를 꿈꿀 수가 있다.

어떤 일을 할 때, 남들과 똑같은 계획과 생각으로 일에 접근하는 건 차라리 하지 않는 것보다 더 못합니다. 지금껏 자신이 알고 있는 건, 누구나 다 알고 있는 일반적인 상식에 지나지 않으므로 그 모순을 발견해 끊임없이 수정 보완해 자신의 것으로 만들어야만 합니다.

그러므로 어떤 일을 시작할 때 가장 먼저 해야 할 일은 자신이 입은 허름한 상식의 옷을 벗어버리는 것입니다. 성공하는 사람들은 자신들만의 습관과 비결이 있습니다.

당신은 남들보다 어떤 장점이 있나요. 혹시 남이 하는 대로 그냥 따라 하지는 않는지요. 백전백패일 뿐입니다. 지금이라도 상식을 모두 버리고 자신만의 지혜를 구축하세요. 이것이 바로 나를 성장시키는 지름길입니다.

✡ 인성 교육이 진짜 교육이다

> 교육의 가장 큰 문제점은
> 부모와 선생님이 바보 같은 문제를 만들어서
> 그걸 답이라고 아이들에게 주입하려고 하는 것이다.
> 이것이 대한민국의 발전을 저해하는
> 가장 큰 요인이다.
> 진짜 교육은 올바른 인성 교육이다.

지금 우리 아이들이 방황하고 있는 것은 부모와 선생님들이 아이의 개성을 파악하지 못하고 자신들이 내놓은 문제에 대한 답만을 끊임없이 강요하고 있기 때문입니다. 심지어 시험문제 풀기에만 급급한 나머지 아이들은 외우는 것 말고는 제대로 하지 못합니다. 이것이 주입식 교육의 문제점입니다. 그러다 보니 어떻습니까? 아이들은 어려운 일이 조금이라도 닥치면 스스로 해결하려고 하지 않고 부모에게 도움을 요청합니다.

우리 어른들은 아이들에게 수학에만 답이 있지 인생에는 답이 없다는 걸 가르치려고 합니다. 그렇다면 인생살이의 답은 어디에 있을까요. 그 답은 부모도 선생님도 아니요, 바로 아이 자신에게 있습니다. 이제부터라도 아이들에게 주입식 교육에서 벗어나 창조성을 기르는 교육을 시켜야 합니다. 이것이야말로 대한민국을 일류국가로 만드는 원동력이 될 수 있습니다.

✡ 모순과 진리

> 모순은 모순을 낳고
> 진리는 진리를 낳는다.

'모순'과 '진리'는 항상 병립합니다. 그렇다면 어떤 것이 '모순'이고 어떤 것이 '진리'일까요? 분명한 사실은 '모순'과 '진리'를 분별하는 힘은 자신만의 치열한 공부를 통해 길러진 '지혜'에서 생겨난다는 것을 명심해야 합니다.

달콤한 남의 말에 속아서 사기를 당하거나 종교를 빙자한 성직자들의 설교에 재산을 바치는 행위 등도 종교가 가지고 있는 '모순'을 제대로 알지 못해서 일어나는 무지의 현상입니다. 결국 '모순'은 '모순'만을 낳기 때문에 마치 깊은 우물에 빠진 사람처럼 헤어나지 못하게 되는 것입니다.

그렇다면, '진리'는 '모순'과 어떤 차이점이 있을까요?

'모순'은 달콤함을 매개로 하지만 '진리'는 오직 그 자체만의 힘을 가지므로 그 어떠한 요구나 강요가 없다는 것입니다. 그리고 '모순'은 욕심이 항상 매개체가 됨으로 상대방과 내가 '욕심이 있는가, 없는가?'로 분별할 수 있습니다. 만약, 티끌만큼의 욕심이나 사심이 있다면 그것은 '모순'에 불과합니다. 물론, 양자에게 이익이 있어야만 하지만 그 이익이 서로에게 '합당한가 아닌가?'를 판단하는 것은 지혜의 몫입니다. 그렇다면 '모순'과 '진리'를 가늠하는 지혜는 어떻게 생길까요? 그것은 마음의 여유를 가지고 자기만의 깊은 사유를 통해 증득되므로 애초부터 '진리'는 '모순'과는 그 차원이 달라서 금이나 다이아몬드처럼 영원히 변하지 않습니다.

제3의 법칙

:

내가 누구인지 먼저 알라

나는 누구인가

> 자기를 모른다는 말보다 어리석은 말은 없고
> 자기를 안다는 말보다 더 어리석은 말은 없다.
> 자신의 존재를 잃어버리는 일은
> 마치 집을 잃어버리는 것과 같으니
> 먼저 자신이 누구인가를 아는 것이 중요하다.

본디 철학은 '나는 누구인가?'라는 의심 즉 나의 존재론적 시각에서 출발되었습니다. 인간이 존재론에 집착하게 된 근본적인 이유는 자연과 더불어 살면서 "대체 나는 왜 여기에 있으며 나란 누구인가?'라는 지성적 반문의 결과입니다. 이것이 바로 사유의 출발이지요. 만약, 인간이 지성의 자각을 기반으로 한 깊은 사유를 하지 않았다면 오늘날 인류는 눈부신 문명을 이룩하지 못했을 것입니다.

알다시피 그 누구도 자신이 원해서 이 세상에 온 것이

아닙니다. 눈떠보니 내가 존재하고 있었던 것이지요. 그런데도 내가 온 이유를 모르고 또한 내가 누구인지 고민조차 하지 않는 건 더 어리석은 일입니다. 분명한 건 올 때는 부모의 몸을 빌려 왔지만, 태어난 순간 내가 이 세상에 온 이유가 반드시 있다는 사실입니다. 그걸 우리는 스스로 찾아서 계발해야 합니다.

우리는 이런 소중한 자신을 함부로 대하고 있지는 않습니까? 그 누구도 자기를 잘 안다고 할 수도 없고, 또한 모른다고 할 수도 없습니다. 그러므로 우리는 죽는 순간까지 '내가 누구인지를 찾아가는 공부'를 계속해야 합니다. 4대 성자인 소크라테스, 공자, 예수, 석가모니의 고민도 바로 여기에 있었습니다. 이젠 자신이 가진 장점과 능력들을 폐광 속에서 광석을 찾듯이 나를 찾는 공부를 시작하세요.

맑고 깨끗한 영혼을 가져라

> 육신은 영혼의 가면에 불과한 것,
> 맑고 깨끗한 영혼을 가지면
> 자연히 육신도 건강해지는 것이니
> 깨끗한 영혼을 가지려면
> 올바른 인성 교육이 필요하다.
> 이것이 바로 홍익인간 교육이다.

불교에서는 인간은 몸과 마음으로 이뤄져 있다고 정의합니다. 그리고 몸은 '안이비설신의(눈 귀 코 입 육체 뜻)' 등 육근六根으로 이루어져 있고 눈은 늘 좋은 것만 보려고 하고, 귀는 좋은 소리만 들으려 하고, 코는 향기만 쫓고, 입은 맛있는 것만 취하려 하고 육신과 뜻은 쾌감과 욕망만 좇기 때문에 이를 '여섯 도둑놈'이라고 비유합니다. 그리고 마음이 육근을 조종한다고 합니다. 그래서 불교에서는 마음을 항상 깨끗하게 유지해야 '여섯 도둑놈'인 육근에 끄달리지 않고 몸도 마음도 건강해진다고 합니다. 하지만 이것은 인간의 몸을 한갓 물질에 비유한 것에 지나지 않습니다.

인간은 동물과 달리 몸과 마음 외에 비물질인 영혼을 가지고 있습니다. 그리고 이 영혼이 몸과 마음을 다스리기에 항상 맑고 깨끗하게 유지해야만 하는데 사람됨을 가르치는 인성 교육을 통해서만 가능합니다. 그래서 널리 사람을 이롭게 하는 홍익인간 교육이 필요한 것입니다. 정법은 종교가 아닙니다. 바로 나 자신을 바르게 세우기 위한 바른 법을 가리킵니다.

사사로운 감정에 휘둘리지 마라

> 자기 만족감에 도취된 이는
> 공사公事를 잘 구별하지 못한다.
> 이런 이와는 절대로 동행하지 말라.
> 사사로운 감정에 이끌려
> 큰일을 놓치기 쉬우며
> 자칫 마음에 큰 상처를 입기 쉽다.

경전에 '소욕지족少欲知足'이란 사자성어가 있습니다. 작은 것과 적은 것으로 만족할 줄 알아야 한다는 석가모니의 가르침입니다. 우리가 찾고자 하는 행복은 생활 가운데에서 얻는 작은 즐거움 속에 들어있습니다.

그런데 어떻습니까? 요즘 보면 자신이 가지고 있는 것에 만족하지 못하고 지나친 욕심으로 인해 자멸하는 사람들을 우리는 주변에서 많이 목격합니다. 원하는 게 많으면 욕망의 그릇도 점점 커지게 되고 그만큼 마음의 고통도 커지기 마련입니다. 심지어 그 욕심으로 큰 죄를 짓기도 합니다.

대개 이런 사람은 '공사'를 제대로 구분하지 못합니다. 자고로 '공사'를 구분하지 못하는 사람은 자신의 이익만을 추구하다가 결국에는 나쁜 길로 가기 쉬우므로 가까이 해서는 안 됩니다. 특히 공직이나 중요한 자리에 앉아있는 리더들은 '공사'를 잘 구별해야 합니다. 자칫 사사로운 감정에 이끌려서 큰일을 놓치기 쉽고 때로는 돌이킬 수 없는 마음의 상처를 입기 쉽습니다.

자리에 집착하지 말고 안주하지 마라

> 자신의 자리에서 안주하지 말고
> 이웃과 사회에 도움 되는 일을
> 스스로 찾아서 하라.
> 질량 있는 일을 하면
> 자연과 하늘이 반드시 그 대가를 준다.

대부분 성공한 사람들은 현재에 만족하지 않고 먼 미래를 위해 계획을 세우고 열심히 일한 노력의 결과입니다. 이런 사람만이 남보다 더 큰 일을 할 수가 있습니다. 그렇다고 자신의 성공을 위해 남에게 피해를 주거나 꼼수를 쓰는 건 절대로 안 됩니다. 정당하고 합리적인 방법으로 일해야 그 가치가 있다는 뜻입니다.

일할 때도 당장 눈앞의 작은 이익에 집착하지 말고 이웃과 사회에 도움을 줄 수 있는 질량 있는 큰일을 해야 합니다. 지금 자신이 조금 힘들다고 자신의 이익에만 집착하게 되면 미래에 더 큰 일을 할 수가 없습니다. 이웃과 사회에 도움을 주는 일을 하는 이는 언젠가는 반드시 대자연과 하늘로부터 큰 복을 받게 됩니다. 가정에서 직장에서 사회에서 항상 솔선수범하세요. 그렇게 되면 모두가 행복해지기도 하지만 우선 내 마음이 행복해집니다.

상식은 답이 아니다

> 상식은 답이 아니다.
> 상식 때문에 충돌이 일어난다.
> 상식을 깨는 사람이 바로 수행자다.

학자들은 상식을 '보통의 지성, 건전한 이성'이라고 정의하지만 여기에 상식의 함정이 숨어 있습니다. 우리가 지금껏 알고 있었던 상식이 잘못된 것임이 분명한데도 '그건 누구나 알고 있는 보통의 것이고 건전한 것이니까' 하고 그냥 받아들입니다.

당신이 남보다 나은 삶을 살지 못하거나 주변 사람들과 자꾸 충돌이 일어나 힘든 것도 상식에 갇혀 한 발자국도 앞으로 나아가지 못하고 있기 때문입니다. 지금이라도 과감하게 자신이 알고 있었던 상식을 깨뜨리세요.

서구의 칸트 등 상식학파들도 상식을 두고 이성적인 문

제 해결이 잘되지 않을 때 일종의 피난처로 사용한다는 비판이 강하게 일어났던 적이 있습니다. 아마 당신도 상식을 피난처로 사용하고 있는 것은 아닐까요? 성공하려면 자신이 알고 있던 상식을 깨뜨려야만 합니다.

성공하려면 똑똑한 바보가 되라

> 자신이 똑똑한 줄 아는 사람은
> 처음부터 남의 말을 아예 경청하려 들지 않는다.
> 남을 통해 배우려면 먼저 똑똑한 바보가 되어
> 남의 말을 경청하는 자세를 갖춰야 한다.
> 바보와 바보가 되는 것과는 그 차원이 다르다.

사람들의 대다수는 자신이 남들보다 훨씬 똑똑하다고 생각합니다. 물론, 틀린 말은 아닙니다. 실제로 누구나 자신이 생각하기에 똑똑하니까요. 그런데 정말 그럴까요? 자신이 스스로 똑똑하다고 여기는 순간, 남들은 오히려 당신을 바보로 여길 수 있습니다. 왜냐하면 자신이 똑똑하다는 뜬금없는 자만심으로 겸손함을 잊어버리고 남의 말을 경청하려 들지 않기 때문입니다. 세상에 이보다 더 어리석은 생각이 없습니다.

그러므로 남보다 성공하려면, 먼저 남의 말을 귀담아 잘 경청하여 좋은 건 받아들이고 나쁜 건 과감하게 버려야 합니다. 그러려면 먼저 스스로 바보가 되어야 합니다. 이것이 바로 지혜입니다. 이렇듯 진짜 바보와 바보가 되는 것은 그 차원이 다릅니다.

자신의 영혼을 닦아라

> 세상의 바른 이치를 깨닫는 것이 곧 정법이니
> 이는 생활도生活道를 일컫는다.
> 그러므로 공부할 때는 초발심이
> 무너지지 않아야 하고
> 내 몸이 공부하는 것이 아니라
> 내 영혼이 공부해야 이치를 깨칠 수 있다.

사람답게 살려면 당연히 의무와 책임이 따릅니다. 더구나 더불어 사는 세상에서 가장 중요한 것이 있다면 바로 신의와 예의입니다. 이것이 바른 생활도입니다. 그런데 사실은 사람이 사람의 도리를 알고 행하는 것보다 더 어려운 것은 없습니다. 알면서도 정작 행하기 어려운 게 바로 생활도이기 때문입니다. 그렇기에 정법은 무슨 경전이나 성경처럼 위대한 법을 가르치는 것이 아니라, 사람이 사람답게 살기 위한 바른 이치를 깨닫는 공부입니다.

사물에는 그에 맞는 조리條理와 도리에 맞는 취지趣旨가 항상 존재합니다. 이것이 곧 이치입니다. 이를 제대로 알기 위한 것이 정법 공부입니다. 여기에는 공부하는 사람이 반드시 명심해야 할 것이 하나 더 있습니다. 공부할 때는 언제나 첫 마음 즉, 초발심을 잃지 말라는 것입니다. 그런 뒤에 자신의 영혼을 맑게 하는 공부를 전력으로 해야 합니다. 그래야만 정법의 이치를 온전하게 깨칠 수가 있습니다.

욕심은 발전의 근원이다

> 욕심은 발전의 근원이다.
> 그러나 욕심이 30%를 넘게 되면 과욕이 되고
> 70%를 넘어서면 화로 돌아온다.

욕심은 발전의 근원입니다. 그러나 욕심이 30%를 넘어서면 과욕이 되고, 70%가 되면 결국 자신에게 화로 돌아온다는 사실을 반드시 명심해야 합니다. 사람은 누구나 '이상'과 '욕심'을 가지고 있지만 이 두 가지는 근본적으로 다릅니다.

'이상'은 내가 원하는 꿈이나 소망이지만, '욕심'은 안개와 같은 환幻입니다. 누구나 꿈을 가질 수 있지만 헛된 환상은 갖지 말아야 합니다. 외유내강이 무엇보다 중요함으로 자신의 실력을 먼저 갖추어야 합니다. 실력이 있는 사람은 어떤 유혹에도 마음이 흔들리지 않으며, 욕심내지 않아도 자연스럽게 원하는 바가 다 이루어집니다.

이렇듯 모든 일엔 그 나름의 순리가 있습니다. 어차피 될 일은 되고, 되지 않을 일은 되지 않기에 현실에 맞게 순응해야 합니다. 어떤 일이든 욕심이 앞서게 되면, 판단력을 잃고 잘못된 길로 가기 쉬우므로 '이상'은 크게 가지되 '욕심'은 단호하게 버려야 합니다. 이것이 하늘과 자연의 이치이며 곧 정법입니다.

타인의 허물에 관대하라

> 길 가다가 어떤 이가 발가벗고
> 춤을 추더라도 그냥 흡수하고 지나가라.
> 만약, 그걸 보고 초연하지 못하거나
> 마음이 조금이라도 흔들린다면
> 공부가 아직 덜 되었거나 자세가 되지 않은 것이다.
> 오늘 당장 눈앞에 천지개벽이 일어나더라도
> 공부하는 사람은 일희일비해서는 안 된다.

공부하는 사람은 항상 고요하고 초연해야 합니다. 영혼이 맑고 깨끗한 사람은 눈앞의 일에 일희일비一喜一悲하지 않습니다. 만약, 눈앞에서 일어나는 작은 일에 연연해 조금이라도 마음이 흔들린다면 영혼이 상처를 입어 큰일을 해내지 못합니다. 미래를 길게 보라는 뜻입니다. 이것이 공부하는 사람이 가져야 할 마음의 자세입니다.

그런데 지금 당신은 어떤가요? 아주 작고 사소한 일에 마음이 조금이라도 붙잡혀 있지는 않은가요? 잠시 뒤돌아보세요. 그런 뒤 모든 잡념을 천천히 내려놓고 한발 물러나 생각해보세요. 그 일이 자신과 어떤 연관성이 있는지 생각해보고 없다면, 깨끗이 물러나세요. 당신은 큰일을 해야 할 사람입니다. 이를 명심하세요.

하느님과 신은 둘이 아닌 하나다

> 신이 우주를 만들었고
> 그 신이 바로 하느님이다.
> 신은 유일신에서 일컫는
> 하나님과는 차원이 다른 존재다.
> 하느님과 신은 둘이 아닌 하나다.

사람들은 신神이라는 존재를 매우 신성시하고 있습니다. 마치 신을 다 알고 있는 것처럼 말입니다. 그러나 신이 어떤 존재인지를 정확히 아는 사람은 이 세상에 아직 단 한 명도 없습니다. 누구는 신을 만난 적이 있다고 하지만, 사실은 아무도 신을 직접 목격한 사람이 없습니다. 왜냐하면 당신이 말하고 있는 신은 어쩌면 연약한 당신의 마음이 만들어낸 사물에 불과하기 때문이지요. 그런데도 당신은 아직도 신을 그대로 믿고 있습니까?

그러나 신은 분명히 이 세상에 존재합니다. 그것은 바로 당신이 발붙이고 숨 쉬고 사는 대자연과 하늘입니다. 나는 이 두 가지를 합쳐 하느님이라고 명명합니다. 기독교에서 말하는 하나님과는 근본적으로 차원이 다릅니다. 즉, 매일 맑은 공기를 만들어주는 대자연이 신이고 우리가 바라보는 저 하늘이 신입니다. 우리는 진정으로 하느님을 사랑해야 합니다.

제4의 법칙

:

부와 가난은 마음이 만든다

돈은 에너지다

> 돈은 에너지이기에
> 쓰지 않고 쌓아두면 빼앗긴다.
> 돈을 잘 운용해야
> 사라지지 않고 들어온다.

돈은 생물과 같아서 늘 살아서 움직입니다. 돈은 세상에서 가장 더러운 것이고, 가장 신성합니다. 사기나 도둑질로 번 돈이 가장 더럽고, 일을 열심히 해 번 돈이 가장 신성합니다.

그런데 당장 죽으면 단 1원도 들고 갈 수 없는데도 사람들은 돈을 목숨보다도 더 귀중하게 여깁니다. 그래서 돈은 필요악입니다. 하지만 돈에 너무 연연하지 마세요. 그러다가 자신을 진짜 잃어버릴 수 있습니다.

또한 벌기만 하고 제대로 쓰지 않으면 낙엽처럼 썩기

쉬운 것이 돈이며 아무런 노력 없이 들어온 돈은 반드시 도로 빠져나가는 것이 '돈의 생리生理'입니다. 너무도 뻔한 진리인데도 사람들은 자주 잊어버립니다. 돈을 잘 운용해야 많이 들어온다는 사실을 항상 명심하세요.

좋은 돈과 나쁜 돈

> 돈을 벌면 3:4:3의 법칙으로
> 반드시 운용하라.
> 3은 저축이요 4는 운용이요
> 3은 재투자다.

돈은 친구와 같습니다. 나쁜 일을 해서 번 돈이나 노력 없이 번 돈은 어느 날 자신이 가지고 있는 돈마저 데리고 곱빼기로 빠져나가지만, 성실하게 일해서 번 돈은 운용만 잘하면 곱빼기로 불어납니다. 그리고 돈을 벌면 반드시 3할은 저축하고 4할은 운용에 쓰고 3할은 재투자하세요. 이것이 사업의 기본 원리입니다. 적절한 재투자와 저축은 누구나 생각할 수 있는 것이지만, 제대로 돈을 운용하는 건 누구나 어려운 법입니다.

여기에서 '돈의 운용'이란 사업의 수단이나 목적을 위해 쓰는 돈을 가리킵니다. 홍보와 광고는 물론, 좋은 사업동반자를 만나려면 그에 따른 돈이 들어갑니다. 사업이 실패하거나 잘되지 않은 건 돈을 잘 운용하지 못해서 생깁니다. 적절하게 돈을 잘 배분해야 한다는 의미입니다. 공짜로 들어오는 돈은 단 1원도 없습니다. 당신은 지금 돈을 어떻게 생각하세요. 돈이 벌리지 않는다고 상심하고 있나요. 당신이 노력한 만큼 들어오는 게 돈임을 한시도 잊지 마세요.

가난은 죄다

> 재물로 가난한 이를 돕지 말고
> 가난에서 벗어날 길로 이끌어 줘라.
> 이것이 가난한 이가 가난 속에서
> 하루빨리 벗어날 수 있는 길이다.

어느 날, 제가 강의 중에 '가난은 죄'라고 했던 적이 있었습니다. 내 말에 독자 중 거의 반은 공감했고 반은 비난했습니다.

제가 이렇게 말한 것은 분명한 이유가 있기 때문입니다. 왜 가난이 죄일까요? 과거엔 사회 환경이 힘들어서 가난을 대물림했지만, 지금은 어떻습니까? 물론, 드물게 가망 없는 사람들도 있지만, 열심히 노력하면 얼마든지 가난에서 벗어날 수 있는 사회 환경이 조성되어 있습니다. 그래서 '가난은 죄'라고 했던 겁니다.

누구든 이 소리가 듣기 싫다면, 지금 당장 가난하다고 한탄만 하지 말고 가난에서 벗어날 최선의 노력을 다하면 됩니다. 가난과 부를 결정하는 건, 오직 자기 자신에게 달려있습니다.

가난과 부는 둘이 아니라 하나입니다. 누구든 한순간에 가난해질 수 있고 부자가 될 수 있습니다. 그리고 부자들은 누군가의 희생이 있었기에 부자가 된 것임을 한시라도 잊어서는 안 됩니다. 그리고 국가가 가난한 이를 재물로 돕는 건 옳지 않은 일입니다. 국가는 국민이 가난에서 벗어날 수 있도록 그 방법을 알려 줄 막대한 책임이 있습니다. 이것이 국가가 국민을 위해 반드시 할 일입니다.

돈이 행복을 결정하지 않는다

> 돈이 많으면 조금 즐거운 것일 뿐,
> 그 이상도 그 이하도 아니다.
> 그런 점에서 보면 필요악이지만
> 돈이 행복을 결정하지 않는다.

닭이 먼저냐 달걀이 먼저냐? 명확한 해답을 줄 과학자는 없습니다. 이것은 매우 근원적인 문제이고, 사실 알 필요조차 없습니다. 그와 달리, 사람이 먼저냐 돈이 먼저냐는 명확한 답을 내릴 수 있습니다. 사람이 돈을 만들어서 물건을 살 수 있는 권한을 부여했으므로, 사람이 돈보다 먼저인 것만은 분명합니다. 그런데 왜 사람은 돈이란 걸 만들었을까요? 돈이 사람보다 더 귀한 대접을 받고 있고 권력인 사회 속에서 살고 있으므로 우리는 어쩔 수 없이 지금 이 근원적인 질문을 당신에게 던질 수밖에 없습니다. 우리는 '돈의 위력'을 실감하는 사회 속에서 살고 있습니다. 그런 점에서 보면 돈은 필요악입니다. 하지만 돈이 없으면 조금 불편할 뿐, 세끼 밥을 더 먹지는 않습니다. 그런데 사람들은 다 쓰지도 못할 돈을 벌려고 난리입니다. 참 어리석은 일이지요. 행복을 결정하는 건 돈이 아닌데도 말입니다. 차라리 지금부터 내 영혼을 맑게 하는 공부를 하세요. 그게 돈보다 더 좋은 공부입니다.

돈에 대해 엄격하라

> 당신은 돈의 용처에 대해
> 단 한 번이라도
> 독해져 본 적이 있는가.
> 만일, 없다면 성공할 자격이 없다.
> 주위를 둘러보라.
> 성공한 사람은 그냥 된 것이 아니라
> 돈의 용처에 엄격했던 결과이다.

돈을 벌려면 자신이 뜻한 바와 사회적 환경이 딱 맞아야 합니다. 자기가 가진 뜻이 맞다고 하더라도 사회적 환경이 맞지 않으면 아무리 열심히 노력해도 돈이 벌리지 않습니다. 그렇다면, 그 시간과 환경은 언제일까요? 바로 자신이 가진 '생각의 질'이 높아졌을 때와 '사회적 환경'이 딱 맞았을 때입니다. 높은 '생각의 질'이란 개인적인 풍요를 위해 돈을 벌려고 하는 것이 아니라, 이웃과 사회를 위해 봉사하겠다는 생각을 가지는 걸 말합니다. 개인적인 풍요를 위해 돈을 버는 건, 하류적 생각이고 이웃과 사회를 위해 돈을 버는 건 상류적 생각입니다.

또 하나 명심해야 할 게 있습니다. 돈의 용처에 대해 자신에게 독할 정도로 엄격해야 합니다. 자신을 뒤돌아보세요. 단 한 번만이라도 당신은 돈에 대해 엄격하고 독하게 관리해 본 적이 있습니까? 쓰지 않아야 할 곳에 함부로 낭비하고 정작 써야 할 곳에 망설인 적은 없나요? 만약, 그렇다면 당신은 성공할 자격이 없습니다. 주위를 둘러보세요. 아마 성공한 이들의 대부분은 단 1원이라도 헛되게 쓰지 않았을 것입니다. 이것이 성공의 비결입니다.

부자가 되려면 돈을 잘 운용하라

> 부자는 돈을 귀하게 여기고
> 가난한 이는 돈을 욕심낸다.
> 돈을 잘 운용하는 자가
> 돈을 더 크게 움직일 수 있다.

자본주의 사회에서는 대개 재물의 많고 적음으로 그 사람의 성공 여부를 판단합니다. 하지만 저의 생각은 조금 다릅니다. 재물의 많고 적음에 의해 부와 가난을 가르는 건 하류적 관점입니다. 지금 그 사람이 어떤 생각을 하면서 살고 있는가가 더 중요합니다. 앞에서 언급했듯이 부와 가난은 '생각의 질'에 의해 결정되기 때문입니다. 비록 재물이 없어도 생각이 건전하고 걱정이 없다면, 그는 부자입니다. 이와 달리 아무리 돈이 많아도 매일 걱정을 안고 산다면 그는 가난한 사람보다도 훨씬 못합니다.

부자는 단지 남에게 행복하게 보일 뿐, 실제 안을 들여다보면 돈을 더 잘 운용할 것 같지만, 재물에만 집착해 돈을 모으는 재미로만 살기에 불행한 이들이 훨씬 더 많습니다. 그렇다면, 부자는 왜 쓰지도 않을 돈을 애써 모을까요? 바로 과시욕 때문입니다. 이와 반대로 가난한 이는 쓸 곳이 없으므로 돈을 벌 생각도 하지 않는 것입니다. 쓸 곳이 많으면 당연히 돈을 벌 수밖에 없습니다. 애쓴 만큼 벌리는 것이 돈입니다. 그러므로 부와 가난의 차이는 돈의 용처와 그 운용에 따라서 결정됩니다. 돈을 잘 운용하는 사람이 큰 부자가 되는 것도 이러한 돈의 원리 때문입니다. 부자가 되고 싶다면 이를 명심하세요.

불평하지 말고 투덜대지 말라

다들 인생이 힘들다고 한다.
당신도 그런가?
힘들다고 투덜대면
오는 복도 모두 달아나고
더 힘들어지는 것이 인생이다.
항상 즐겁게 생활하라.
어느 날 갑자기 행복이 찾아올 것이다.

코로나가 3년이나 계속되고 언제 끝날지도 모릅니다. 이런 역병의 시대에는 누구나 힘듭니다. 그래서인지 다들 살기가 힘들다고 투덜댑니다. 그렇지만, 힘들다고 계속 투덜대기만 하면 더 힘들어질 수밖에 없는 것이 인생입니다. 이럴수록 즐거운 생각만 하고 즐겁게 생활하는 게 중요합니다. 사람이 무슨 일이든 긍정적으로 생각하면 그만큼 좋은 기氣가 몸속으로 들어오지만, 매사에 부정적인 생각만을 하면 나쁜 기가 들어올 수밖에 없습니다. 당신이 항상 좋은 생각만을 하면서 즐겁게 하루하루를 살면, 복이 저절로 걸어 들어와서 내 안에 행복이 가득해집니다. 내 마음이 곧 행복과 불행을 만든다는 걸 절대로 잊지 마세요.

비우고 단순하게 살라

> 비우면서 단순하게 살면
> 인생은 전혀 힘들지 않다.
> 만약, 좋지 않은 일이
> 자신에게 닥치면 빨리 인정하고
> 벗어날 대안부터 먼저 찾아라.

현대인들은 복잡한 인연으로 이리저리 얽혀 있습니다. 그런데 그 인연의 복잡함은 도대체 누가 만든 것일까요, 바로 당신입니다. 당신을 중심으로 인연은 가족과 이웃, 회사, 사회로 이어집니다. 그런데 희한하게도 이 사회는 당신이 원하는 인연만 만나고 살 수 없는 구조로 되어 있습니다. 이런 복잡한 곳에서 행복하게 살 수 있는 비결은 비우면서 단순하게 사는 것입니다. 물론, 어려운 일일 수 있으나 마음먹기에 따라서는 매우 쉽습니다. 그리고 살다가 뜻하지 않은 불행이 찾아오면 그걸 빨리 인정하고 벗어날 대안을 찾는 것이 답입니다. 그렇지 않고 낙담하거나 계속 투덜대면 한 번 빠진 늪에는 움직일수록 더 깊이 빠지는 것처럼, 더 깊은 불행 속으로 빠진다는 걸 명심하세요. 그리고 사물을 긍정의 마음으로 받아들이면 인생이 전혀 힘들지 않습니다. 행운과 복도 불평과 불만이 가득하면 오다가도 도망간다는 걸 명심하세요.

항상 남을 칭찬하라

> 남을 칭찬하면 내가 행복해지니
> 가능하면 남을 칭찬하라.
> 그것이 단순한 삶이다.
> 남을 칭찬하는 습관을 들이면
> 인생은 전혀 힘들지 않고 어렵지 않다.

당신은 누군가와 말을 나눌 때 칭찬과 험담 중 어느 쪽을 더 많이 합니까? 통계에 의하면, 한국인은 칭찬보다도 험담을 더 많이 한다고 합니다. 그래서 우리 속담에 '사돈이 땅을 사면 배가 아프다'고 하지요. 참 나쁜 버릇입니다. 그런데 남을 칭찬하면 듣는 사람의 기분이 좋아지지만, 사실은 자신의 기분이 더 좋아진다는 사실을 아시는지요. 당신은 왜 힘들게만 세상을 살려고 합니까? 좋은 건 칭찬하고, 잘못된 것은 잘못되었다고 그냥 말하면 됩니다. 이것이 바로 단순한 삶입니다. 복잡한 세상일수록 단순하게 살도록 노력하세요.

돈은 쓰기에 따라 그 가치가 다르다

> 천만금을 가졌다고 해도
> 잘 쓸 줄 모르면 소용이 없다.
> 단돈 일만 원도 좋은 곳에 쓰면
> 그 돈은 천만금의 가치를 지닌다.

돈은 '목적'이 아니라 '수단'이 되어야 합니다. 그런데 사람들은 '수단'과 '목적'이란 말을 동일同一한 의미로 생각하는 경향이 많습니다. '수단'은 어떤 목적을 위해 쓰는 일종의 방법을 가리킵니다. 돈이 목적이 되면, 온갖 부정한 방법으로 버는 데에만 혈안이 되기 쉽습니다.

당신에게 묻겠습니다. 도대체 돈이란 무엇입니까? 당신은 돈 그 자체를 온전히 이해하고 있습니까? 한마디로 말하면 돈은 '신용'입니다. 우리는 돈을 매개로 해서 내가 원하는 물건을 사고팝니다. 자본주의 사회에서의 돈은 곧 자기를 대변한다고 볼 수 있습니다. 분명히 말씀드리지만 돈은 목적이 아니라 수단이 되어야 합니다.

어떤 철학자는 '돈을 하찮은 것'이라고 말하기도 하지만 단언컨대 아닙니다. 그런 사람은 사람을 살리고 죽이기도 하는 '돈의 위력'을 잘 모릅니다. 이 세상에 돈을 무시하는 사람치고 잘사는 사람은 아무도 없습니다. 돈에도 소양과 가치가 있으며 쓰는 사람에 따라 달라집니다. 그러므로 천만금이 있다고 해도 적재적소에 바르게 쓰지 못하면 아무런 가치가 없고 단돈 일만 원이라도 좋은 곳에 쓰면 천만금의 가치를 지니는 것이 바로 돈입니다. 돈을 잘 쓰고 있는지 스스로 당신에게 물어보십시오.

제5의 법칙

:

자기만의 이념과 철학을 가져라

철학과 이념을 가져라

> 철학과 이념을 가진 이와
> 철학과 이념이 없이 무작정 사는 이는
> 출발점은 같아도 그 결과는
> 하늘과 땅 차이가 나니
> 자기만의 철학과 이념을 가지면
> 대자연이 길을 열어 주고
> 하늘에서 운을 던져 준다.
> 아무런 노력도 하지 않고 사는 이는
> 대자연과 하늘이 돕지 않는다.

사람은 짐승과 달리 '생각하는 동물'입니다. 생각한다는 건 자기 철학과 이념을 겸비하고 있다는 뜻입니다. 여기에서 자기 철학은 그동안 세상을 살면서 얻은 인생관, 세계관, 신조 등을 말하고, 이념은 자신이 이상으로 여기는 생각이나 견해를 말합니다. 그리고 자기 철학은 이념을 위해 가져야 할 하나의 소신입니다.

우리는 자신도 모르게 이 세상에 왔고 적어도 100년은 살기 싫어도 살아야 합니다. 그 긴 세월을 살면서 자기 철학과 이념 하나 없이 어떻게 살아갈 수가 있겠습니까? 그런데 의외로 우리 주변에는 이런 사람들이 많습니다. 당신은 그렇지 않은가요.

철학과 이념을 가지고 사는 사람은 뭔가 달라도 다릅니다. 비록 출발점은 같아도 그런 사람은 대자연과 하늘이 길을 열어 주고 운을 주기에 언젠가는 성공할 수 있습니다. 이와 달리 아무런 노력도 없이 무작정 사는 사람은 결코 대자연과 하늘이 도와주지 않습니다. 제 말을 꼭 명심하세요.

실력을 먼저 닦아라

> 본디 실력 없는 사람이 욕심만 많다.
> 실력으로 무언가를 얻을 수가 없으니
> 욕심이 생기는 것이므로
> 자신의 실력을 먼저 닦아야 한다.

'욕심'은 분수에 맞지 않게 그 무언가를 '탐하는 마음'입니다. 그런데 욕심이란 것은 넘쳐도 문제이고 없어도 문제입니다. 그렇다면, 그 기준은 어디에 있을까요? 어떤 일을 할 때 내가 그 일을 제대로 할 수 있는 실력이 있는가? 그 판단의 기준은 오직 자신만이 내릴 수 있습니다. 도저히 자신의 능력으로는 할 수 없는 일인데도 억지로 한다면 그건 욕심입니다. 그렇지 않고 자기 실력으로 해낸다면 그건 욕심이 아니라 개인의 능력입니다. 그런데 어떻습니까? 실력도 없는 사람이 욕심만 앞서면 항상 문제가 발생합니다. 그러므로 평소에 자기 실력을 닦아 두어야 합니다. 그렇다고 못 오를 나무는 쳐다보지 말라는 말이 아닙니다. 적당한 욕심은 오히려 좋으므로 나무를 오를 실력을 평소 닦아 두는 것이 더 중요합니다.

'격이행지激而行之'는 '물을 막아서 거꾸로 흐르게 한다'는 뜻입니다. 사람의 본성本性은 본디 착하지만, 욕심이 앞서게 되면 길을 막아서 결국엔 악하게 된다는 뜻인데 그로 인해 같은 실수를 반복하게 된다고 합니다. 또한 스티브 잡스는 욕심을 가져야 목표를 이룰 수 있다고 했습니다. 그래서 그는 'Stay hungry, Stay foolish(배가 고픈 것처럼 무엇을 해야 할지 찾고 어리석을 정도로 목표를 향해 전진하라)'고 했습니다만 이것도 실력을 갖춘 뒤입니다. 당신은 스티브 잡스가 아닙니다. 당신은 그냥 당신일 뿐입니다. 그러므로 먼저 실력을 갖춘 뒤에 욕심을 가져도 늦지 않습니다.

공짜는 없다

> 실력 없는 이가 공짜를 좋아한다.
> 그런 이는 평생 공짜만 찾다가
> 자신의 인생을 허비한다.
> 이 세상엔 공짜는 절대로 없으며
> 공짜를 좋아하는 사람은
> 평생 가난하게 살 수밖에 없다.

공짜란 아무런 노력도 하지 않고 그저 이익을 탐하는 걸 가리키지요. 말하자면 불로소득입니다. 그런데 이 세상에 정말 공짜라는 게 있을까요? 절대로 없습니다. 복권이나 로또에 당첨되는 것도 공짜가 아닙니다. 전생과 현생에 좋은 일들을 많이 베풀었기 때문에 운이 작용한 것 뿐입니다. 하지만 복권을 사지 않으면 당첨될 수 없습니다. 그렇게 보면 운도 공짜가 아닙니다. 반드시 그에 상응하는 것이 있어야 합니다. 그렇지만 일말의 노력도 없이 이익을 얻고자 하는 것은 도둑놈과 다름없고 보이스피싱 같은 범죄자입니다. 주위를 둘러보면 공짜를 좋아하는 사람이 의외로 많습니다. 공짜가 굴러 들어와도 그건 일시적일 뿐, 계속 들어온다는 보장이 없습니다. 그러므로 공짜를 좋아하는 사람은 평생 가난하게 살 수밖에 없습니다. 대자연과 하늘이 모르는 것 같지만, 내가 알고 네가 알고 천지가 다 알고 있다는 걸 명심하세요.

종교의 목적을 바르게 알라

> 종교의 목적은 죽은 사람이
> 천국과 극락에 가게 하는 것이 아니라
> 몸과 마음을 안락하게 하여
> 현생을 사람답게 살게 하는 데에 있다.
> 죽으면 아무런 소용이 없다.

우리나라의 자살률은 지난 10년 동안 OECD 국가 중 1위이고, 특히 학생들과 노인들의 자살률이 날로 증가하고 있다고 합니다. 얼마나 불명예스러운 일입니까? 이에 대해 정치인들과 성직자들은 도대체 무엇을 하고 있는지 실로 궁금합니다. 게다가 앞날이 창창한 우리 학생들이 극단적 선택을 하는 이유는 무엇 때문일까요? 학생들의 자살 원인 중 가장 큰 것은 치열한 경쟁체제 속의 학업과 경제적 어려움, 노인들은 건강 때문이라고 합니다.

사람은 누구나 존엄하게 죽을 권리가 있습니다. 그런데도 제 명을 다하지 못하고 학생들과 노인들을 죽음으로 내모는 이 사회는 분명히 큰 문제를 안고 있습니다. 그렇다면, 누가 학생들과 노인들의 자살을 막아야 할까요? 정치인과 종교인들이 전격적으로 나서야 합니다. 정치인은 교육정책을 개선하여 가중한 학생들의 학업을 막아야 하고 성직자들은 죽은 이가 천국과 극락에 가도록 기도와 염불을 하는 데만 힘쓸 것이 아니라, 그들의 몸과 마음을 안정시켜 현생을 윤택하게 하는데 전력해야만 합니다.

죽은 뒤에 천국과 극락으로 가는 게 무슨 소용이 있습니까? 지금, 지금 이 순간 머무는 자리가 바로 천국과 극락이 되어야 합니다.

웅혼한 침묵으로 때를 기다려라

> 어떤 문제를 앞에 두고
> 자신만의 기준으로
> '맞다, 아니다'를 판단하지 마라.
> 아무에게도 그 의무는 주어지지 않았다.
> 그 판단은 주위의 환경이 하는 것이다.

어떤 문제가 자신에게 발생했을 때, 유의해야 할 점은 자신의 기준으로 '옳고 그름'을 즉각적으로 판단해선 안 됩니다. 그러한 의무는 누구에게든 주어지지 않았다는 걸 명심해야 합니다. 차라리 한발 물러나 조용히 관망하는 것도 문제 해결에 더 좋을 때가 있습니다.

그렇다면 누가 판단하고 그 문제의 해답을 풀어 줄까요? 시간이 지나면 주위의 환경이 판단할 것입니다. 여기에서 환경이란, 다수의 합리적인 견해를 뜻합니다. 자신이 그 문제를 해결하려고 관여하거나 지나치게 나서는 건 오히려 더 큰 곤란을 겪게 될지도 모르기 때문입니다. 관망하라는 건 그 문제에서 회피하라는 것이 아니라, 주위의 환경이 합리적인 결론을 도출할 때까지 웅혼한 침묵으로 때를 기다리는 것도 하나의 지혜입니다.

창업할 땐 자신을 믿어라

> 성공에 대한 확신이 섰을 때는
> 절대로 뒤를 돌아보지 마라.
> 만약, 뒤를 돌아본다면
> 그것은 이미 내 안에 의심이 생겨서
> 자신감을 상실했기 때문이니
> 확신이 섰을 때는
> 과감하게 앞으로 나아가라.
> 자신의 믿음이 가장 중요하다.
> 돌아갈 그 힘마저 합치면
> 자신의 목표를 향해 전진할 수 있다.

창업 상담을 위해 찾아오시는 분들이 가끔 있습니다. 물론, 제 분야도 아니지만 그런 분들을 만나면, 제가 꼭 전하는 말이 있습니다. 성공을 확신한다면 다른 생각은 하지 말고 그냥 열심히 도전하라고 조언합니다. 창업을 시작해 놓고 자꾸 의심하는 건 자신감을 상실한 것으로 이미 실패한 것이나 다름없습니다. 그런 생각이 들면 애초부터 창업하지 말아야 합니다.

비단, 창업뿐만이 아니라 모든 일이 그렇습니다. 확신이 섰을 때는 과감하게 도전하는 것이 옳습니다. 가장 중요한 건 자신의 믿음입니다. 자기 자신을 믿지 않으면 도대체 누구를 믿습니까? 포기할 힘이 있으면 차라리 그 힘을 합쳐서 자신의 목표를 향해 나아가면 반드시 원하는 바를 성취할 수 있습니다.

재물만 아낄 것이 아니라 말도 아껴라

> 남과 더불어 사는 세상에서
> 할 말을 어찌 다 하면서 살겠는가.
> 다들 한마디씩 던진다면
> 이 세상은 말의 홍수에 잠길 테니
> 재물만 아낄 것이 아니라
> 적절하게 말도 아껴야만
> 나중에 더 큰 힘을 발휘하게 된다.

성경에 보면 태초에 말씀이 있었고, 그 말씀대로 우주가 만들어졌다고 합니다. 그렇다면 그 말씀한 자는 누구일까요? 바로 하나님입니다. 이것이 성경에서 말하는 창조설입니다. 즉 하나님이 하신 말씀 한마디에 이 우주가 창조되었다니 얼마나 귀중하고 위대한 것입니까?

말은 자신의 느낌이나 생각을 상대방에게 전하는 행위

나 수단으로써 곧 그 사람의 인격을 대변합니다. 그런데 어떻습니까? 당신은 말을 잘 사용하고 있는지요. 입이 있다고 함부로 내뱉고 있는 것은 아닌지요. '침묵은 금'이라고 했습니다. 더불어 사는 이 세상에서 각자가 하고 싶은 말을 다하고 살면, 이 세상은 말의 홍수에 잠길 것입니다. 아니 우리는 이미 말의 홍수 속에서 살고 있습니다. 눈만 뜨면 쏟아지는 말로 인해 귀가 따갑습니다.

말에도 위력이 있습니다. 평소에 말을 아끼면서 적절하게 할 말만 하는 사람은 신뢰가 있으나 생각 없이 함부로 말을 내뱉는 사람은 그다지 신뢰할 수 없습니다. 당신은 어떤 사람이 되고 싶습니까? 평소 말없던 사람이 던지는 한마디는 큰 힘을 가지지만, 그렇지 못한 사람은 말의 힘을 가질 수 없다는 걸 알아야 합니다. 말은 곧 재물입니다. 오늘부터라도 말을 아끼세요.

말에도 질량이 있다

> 말에도 질량이 있어서
> 자신이 한 말에 대해서 책임을 져야 한다.
> 말을 하고 싶다고 함부로 하면
> 그에 책임이 따르므로
> 절제하면서 간단명료해야 한다.

우스갯소리 같지만, 말에도 질량이 있으므로 우리가 하는 말을 저울에 달면 각자 그 무게가 다 다를 것입니다. 말에는 책임이 따르므로 항상 신중해야 하고 남에게 의견을 전달할 때는 간단명료해야 힘이 있습니다. 쓸데없는 말은 오히려 하지 않는 것보다 못합니다.

왜일까요? 말에도 질량이 있기 때문입니다. 낮은 질량을 가진 말은 상대방의 마음을 상하게 하는데 주로 상스러운 말, 헛된 말, 타인을 무시하는 말, 증오하는 말 등입니다. 반대로 높은 질량을 가진 말은 사랑스러운 말, 칭찬, 고마움의 말, 격려 등인데 이는 상대방의 인격을 높이는 것은 물론, 자신의 인격도 높여줍니다.

고로, 당신은 어떤 말을 하시겠습니까? 하고 싶은 말보다는 상대방의 마음을 읽고 기다릴 줄 하는 미덕을 가지세요. 그것이 곧 자신의 말에 대한 질량을 높이는 최고의 방책입니다.

말은 곧 그 사람의 질량이다

> 사람의 질량은 입에서 나온다.
> 입을 잘 다스리면 삶이 풍요로워지지만,
> 입을 못 다스리면
> 그에 상응한 책임이 따르므로
> 내 삶도 어려워진다.

우리는 가끔 체중을 잽니다. 일상의 사소한 일인 것 같지만 사실은 매우 중요한 행위입니다. 체중이 줄고 늘어나는 건 눈에 보이는 육신의 변화입니다. 의사들은 급격한 체중의 변화를 보고 몸속의 병을 진단하기도 합니다. 그런데 몸의 체중보다 더 중요한 것이 있습니다. 그게 무엇일까요? 사람은 각자가 지닌 질량이라는 게 있습니다. 이를 저는 사람 된 바탕과 성품을 일컫는 '품격品格'이라고 명명하고 싶습니다.

물론, 품격을 체중처럼 저울로 잴 수는 없지만, 그 사람의 말과 행동으로도 판단할 수 있습니다. 그렇다면, 사람의 품격을 결정하는 가장 중요한 요소는 무엇일까요? 바로 입입니다. 옛말에 '입안에 도끼가 있다'라고 했고, 반대로 '말 한마디가 천 냥 빚을 갚는다'라고 했습니다. 이것은 곧 입을 잘 다스리라는 의미를 담고 있습니다. 이처럼 입을 잘 다스리면 삶이 풍요로워지지만 잘 다스리지 못하면 자신의 삶이 힘들어진다는 걸 알아야 합니다. 말에는 반드시 상응하는 대가나 책임이 따른다는 걸 잊지 마시고 입을 잘 다스리세요. 말은 곧 그 사람의 '품격'입니다.

말도 자리가 있다

> 말은 들어야 할 자리가 있고,
> 말할 자리가 있다.

사람의 예의 중에 '경청'은 매우 중요한 요소입니다. 큰 사람이 되려면 먼저 남의 말을 잘 듣는 경청의 자세를 항상 지녀야 합니다. 물론, 듣고 싶지 않은 말도 있겠지만 아무리 나쁘게 들려도 그 속엔 교훈으로 삼아야 할 말도 있습니다.

선생님이 학생들을 가르칠 때 어떻습니까? 학생들이 선생님의 말씀을 제대로 듣지 않고 딴 짓을 피우면 가르칠 기분이 나지 않듯이 사회에서도 마찬가지입니다.

선생님은 학생들을 잘 가르쳐야 하고 학생은 선생님의 가르침을 잘 경청해야 하듯이 제가 강조하고 싶은 건 말은 경청할 자리와 말해야 할 자리가 있으니 이를 잘 분별하라는 것입니다. 이를 잘하지 못하면 윗사람으로부터 인정받지 못하고 아랫사람으로부터 존중받지 못합니다.

제6의 법칙

:

진심이 담긴 말이 힘이 있다

말은 관계를 잇는 다리이다

> 말은 내가 하는 것이지만
> 받아들이는 것은 상대이다.
> 상대가 내 주장을 따르지 않는데
> 내 주장만을 펼치는 것은
> 관계를 멀어지게 하는 행위다.

말은 수단이지 목적이 아닙니다. 말은 나의 의사를 상대에게 전달하는 강한 요소입니다. 그런데 상대의 마음을 전혀 헤아리지 않고 오직 자신만의 주장만을 펼치게 되면 어떻게 되겠습니까? 관계가 멀어질 수밖에 없습니다.

우리 주변에는 자기 말만 하고 도무지 상대에게 말할 기회조차 주지 않는 사람이 많습니다. 왜 그럴까요? 해야 할 말과 하지 말아야 할 말을 잘 분별하지 못하기 때문입니다. 이런 사람은 되도록 가까이하지 않는 게 상책입니다. 더구나 상대가 좋아하지 않을 정도로 자신의 주장만 을 펼치는 건 정말 좋지 못한 행동입니다. 이와 달리 말의 이치를 잘 구분하는 사람은 한마디를 해도 깊이 생각한 뒤에 말합니다. 그래서 말을 잘 운용하라는 것입니다.

참 스승을 만나라

> 참 스승이라면
> 배우고자 하는 이의 질량에 맞게
> 가르침을 줘야 한다.
> 이와 달리 지식인이
> 배우고자 하는 이의
> 질량을 전혀 생각하지 않고
> 무조건 가르치기만 한다면
> 그는 참 스승이 아니다.

우리 주변에 선생은 많으나 스승은 흔치 않습니다. 그렇다면 선생은 누구이며 스승은 누구일까요? 선생은 배움을 받고자 하는 이에게 그냥 지식을 가르치는 사람이지만 스승은 그 차원이 다릅니다. 스승은 사람의 인성을 바르게 인도하여 덕을 쌓게 하는 선지식으로 아무나 될 수가 없습니다. 지식은 상식과 같은 것으로 머릿속에 쌓이는 것에 불과하나 인성은 시간이 흐르면서 몸에 체득되는 것이므로, 곧 삶의 원천입니다. 고로 지식과 상식만으로는 이 모진 세상을 살아갈 수 없습니다.

학창 시절 공부를 잘한 학생과 예절과 인성이 좋은 학생 중 누가 더 잘살고 있는지 주변을 살펴보십시오. 당연히 후자입니다. 지금은 지식의 폭주 시대입니다. 이런 때일수록 중요한 건 바른 인성입니다. 그래서 우리는 참스승이 필요한 것입니다. 스승은 배움을 청하는 이의 질량에 맞게 적절한 가르침을 줘야 합니다. 아무리 실력이 뛰어난 스승일지라도 가르침을 받는 사람이 제대로 알아듣지 못한다면 그 또한 무용지물일 수 있으므로 가르치는 것도 적절하게 잘 가르쳐야 합니다.

지금 이 시대엔 참스승이 없습니다. 옛말에 '자식을 보기엔 아비만한 눈이 없고 제자를 보기엔 스승만한 눈이 없다.'라고 하지 않았습니까? 이것은 '자식은 부모가 가장 잘 알고, 제자는 스승이 가장 잘 알고 있다.'라는 말입니다. 훌륭한 사람이 되려면 부모의 가르침도 중요하나 참스승을 만나 가르침을 제대로 받아야 합니다.

지금 당신에게는 자신을 바르게 인도해줄 스승이 있습니까? 없다면, 당장 그 스승을 찾으세요.

대화에도 말의 법칙이 있다

> 상대에게 의사를 전달할 때는
> 상대가 잘 알아들을 수 있도록
> 조리 있게 말하라.
> 아무리 듣기 좋은 말도
> 듣는 사람이 이해하지 못한다면
> 내 실력이 부족한 탓이다.

대화할 때 상대가 나의 말을 전혀 이해하지 못하고 있는 것은, 상대를 충분히 이해시킬 만한 실력을 내가 갖추고 있지 못하기 때문입니다. 그런데 어떻습니까? 상대가 이해하지 못한다고 화를 내거나 투덜댄 적이 없었는지요. 사실은 그건 상대의 잘못이 아니라 전적으로 나의 잘못입니다. 모든 일이 그렇습니다. 아무리 듣기 좋게 설명해도 듣는 상대가 제대로 이해하지 못한다면 아무런 소용이 없습니다. 왜 그럴까요? 자기의 말과 행동을 겸허 속에 두지 않고 상대방을 일단 업신여기는 마음 때문입니다. 상대로부터 존중받기 위해서는 항상 말과 행동을 겸허 속에 두고 의사를 전달하는 습관을 길들여야 합니다.

말은 인연을 맺어주는 끈이다

> 상대에게 내 생각을 전달할 때는
> 내 생각을 먼저 정리한 뒤 말하라.
> 말은 인연을 맺어주는 끈이다.

우리는 가끔 누군가로부터 말을 듣고 난 뒤 '두서없다'라는 말을 자주 씁니다. '두서없다'라는 건 '일의 차례나 갈피를 잡을 수 없다.'라는 뜻입니다. 그리고 선생님이 학생을 꾸짖거나 상사가 부하직원에게 일을 시킬 때 종종 투덜대는 말이기도 하지요.

그렇다면 이런 소리를 상대로부터 듣지 않으려면 어떻게 하면 될까요? 말하기 전에 내 생각을 반드시 노트나 머릿속으로 정리한 뒤에 하라는 것입니다. 화가 난다고 혹은 상대가 잘못한다고 함부로 내뱉는 말은 곧 후회를 동반하게 됩니다.

우리 속담에 '한마디의 말이 원수가 되고 절친이 된다'라고 하지 않았습니까? 자신이 가진 내적인 힘의 바탕이 되는 것이 바로 말입니다. 그렇기에 함부로 말을 사용해서는 안 됩니다.

말은 곧 성공의 인연을 맺어주는 아주 중요한 수단입니다. 좋은 인연을 맺으려면 항상 진중하게 생각한 뒤 말하는 습관을 들여야 합니다.

화내면서 말하지 말라

나의 의견이 상대에게 통하지 않는다고
화를 내면서 말하는 것은
오히려 나의 무지를 드러내는 것이니
말할 때는 조리 있고 침착하게 전달하라.

의견은 그냥 자기 생각일 뿐입니다. 자신의 의견이 상대에게 잘 전달되지 못하거나 통하지 않는다고 해서 강요하거나 화를 내는 건 오히려 무지를 드러내는 행위이므로 반드시 삼가해야 합니다. 여기에서 '삼가'의 뜻은 '겸손하고 신중한 마음을 가지는 것'입니다. 누군가 돌아가셨을 때 '삼가 고인의 명복을 빕니다.'라고 쓰는 것도 이 같은 맥락입니다.

화는 세상의 적입니다. 사람에게 열 번을 잘하다가도 단 한 번의 화로 인해 공든 탑이 와르르 무너지는 걸 우리는 주위에서 많이 목격합니다. 그만큼 화는 악마처럼 매우 무서운 것입니다. 그렇다고 무조건 화를 억누르는 건 도리어 스트레스를 동반하여 건강을 해치기 쉬우므로 적절하게 화를 발산할 수 있는 자기만의 방법을 마련해 두어야 합니다.

화가 날 때는 잠시 시간을 두고 생각하는 방법도 좋습니다. 그런 뒤 자신의 의견이 옳은지 상대방에게 강요했던 건 아닌지, 상대방의 입장에 서서 생각해보는 것도 아주 좋은 해결 방법입니다. 상대방을 먼저 배려하는 마음을 가지면 그만큼 내 마음이 즐거워진다는 걸 항상 잊지 마세요.

가르침이 곧 법보시이다

케케묵은 지식이나
경전을 들려주는 것만이
법보시法布施가 아니라
지금 당장 상대방에게
필요한 말을 해주는 것이
진정한 법보시이다.

오늘날 우리는 지식의 폭주 시대에 살고 있습니다. 이런 때일수록, 자기 분야에서 꼭 필요한 지식만을 골라서 습득하는 것도 아주 현명한 공부 방법이지요. 상식은 그저 지식일 뿐, 자신의 삶에 직접적인 양분養分이 될 수 없다면 아무런 소용이 없습니다.

언젠가 불교에서도 이런 움직임이 일어났던 적이 있었지요. 예를 들면 예로부터 한국불교는 수백 년 전 중국 고

승들의 선어禪語를 마치 대단한 가르침인 양 받아들였고, 아직도 승가僧家에서는 이를 가르치고 있습니다. 물론, 좋은 가르침도 많지만, 로켓이 우주를 날아가는 시대에 너무나 케케묵고 동떨어져 있으며 단지 죽은 언어에 지나지 않는다는 것입니다.

그래서 시인이자 백담사 조실 무산 스님은 안거 해제날 "중국 고승들의 선문禪文은 죽은 공부이기 때문에 지금의 승가는 활구活句를 공부해야 한다"라고 강조한 바 있습니다. 어쩌면 예수와 석가모니, 공자의 가르침도 곱씹어보면, 과연 현시대에 적용할 만한 가르침인가 의구심이 일기도 합니다.

불교에서는 경전을 펴내거나 널리 전하는 일을 법보시라고 합니다. 하지만 지식이 넘치는 시대에는 당장 필요한 가르침이 절실합니다. 이를 제대로 일러주는 것이 진정한 법보시가 아닐까요.

말의 힘은 절제에 있다

> 절제하면서 말하라.
> 말은 그 사람이 가진
> 지식의 질량과 에너지이다.

나의 의중을 상대에게 제대로 전달하려면, 최대한 절제하면서 조리 있게 말해야 합니다. 내가 무슨 말을 하고 있는지 상대방이 정작 알아듣지 못하고 이해하지 못하고 있다면, 그것은 상대의 실력이 부족해서가 아니라 오히려 내 실력의 부족으로 인한 결과입니다. 더구나 화가 동반된 무분별한 말은 상대방에게 나의 약점을 드러내는 것이므로 말을 전달할 때는 신중해야 합니다. 그런데 배운 사람들이 이런 실수를 더 많이 합니다.

왜 그럴까요? 그것은 내가 상대보다 한 수 위라는 자기 오만으로 인해 생기는 현상입니다. 대개 사람의 품격은 그 사람의 말과 행동에서 나오므로 항상 때와 장소를 가려서 말은 진중하게 하고 행동은 신중해야 합니다. 그리고 말이란 내가 공부한 만큼 얻은 지식의 질량에서 나오므로 평소에 내 실력을 부단히 닦아야 합니다.

갑을은 상생 관계이다

> 세상의 모든 일이
> 갑을관계에 놓여 있으나
> 갑만으로도 되지 않고
> 을만으로도 되지 않는다.
> 바른 세상이 되려면
> 갑을이 상생해야 한다.

이 사회는 알게 모르게 갑을관계로 구성되어 있습니다. 을의 관점에서 보면 아니라고 부정할 수도 있겠지만, 어쩔 수 없습니다. 그렇다면 갑과 을은 어떤 관계일까요? 일반적으로 우리가 생각하는 갑과 을은 수직적 관계로써 갑은 강자이고 을은 약자라고 생각하기 쉽지만, 이것은 관점의 오류라고 할 수 있습니다.

요즘 우리나라를 살펴보면, 갑과 을은 수직적 관계가 아니라 거의 수평적 관계입니다. 아니 오히려 을이 힘이 더 셉니다. 과연 갑보다 을의 힘이 더 센 기업과 국가가 더 발전할까요? 절대로 아닙니다.

갑도 분명히 있어야 하고 을도 있어야 합니다. 그리고 힘의 저울은 당연히 갑 쪽으로 기울 수밖에 없습니다. 하지만 사회를 지탱하는 힘은 을에서 나와 그것을 기반으로 갑이 발전한다는 사실을 잊어서는 안 됩니다. 그러므로 최상의 갑을관계는 서로 보완하여 상생하는 것입니다.

그런데 만일, 갑을관계가 무너지면 어떻게 될까요? 북한의 김정은처럼 독재자가 나타날 수밖에 없습니다. 공산국가에서는 을에 대한 배려는 없고 오직 갑만 존재할 뿐입니다.

이와 달리 민주국가는 어떻습니까? 갑을은 권력관계가 아니라 일종의 콜럼버스의 달걀과도 같습니다. 곧 갑은 권력이 아니라, 을의 가치를 평가하는 약간의 우열한 존재일 뿐입니다. 그러므로 갑을관계는 수직적 관계가 아니라 사회적 위치로 본 관계이기 때문에 상호 보완하는 상생 관계입니다. 갑을 중 어느 한쪽만 성장하는 사회는 결국 파국만 온다는 걸 우리는 명심해야 합니다.

자기주장만 펼치지 마라

> 말은 내가 하는 것이지만
> 그 말을 받아들이는 것은 상대다.
> 자기주장만 강하게 펼치는 것은
> 상대를 존중하지 않은 것과 같다.
> 그럴수록 상대는 자꾸 멀어지게 된다.

말은 사람의 양식을 판단하는 아주 중요한 기준 요소입니다. 공부가 된 사람은 상대와 몇 마디만 말을 나눠 봐도 상대의 의중을 곧바로 꿰뚫어 봅니다. 그런데 말은 누가 합니까? 말은 '나'라는 존재가 하는 것이고 그 말을 듣고 받아들이는 건 상대입니다. 그런데 상대에게 자기주장만 펼치면 당연히 상대는 나와 멀어질 수밖에 없습니다. 내가 상대를 한 번 무시하면 상대는 나를 세 번 이상 무시합니다. 이것이 바로 인간관계입니다.

내 말의 요지는 '나'의 생각이 건전하고 상대에게 진실해야 좋은 인연을 계속 유지할 수 있다는 것입니다. 자기가 상대를 진실하게 대하지 않으면서 상대가 마냥 자신에게 진실하기를 바라는 건 잘못된 행동입니다.

이 사회는 '나'를 중심으로 친구와 이웃, 동료로 구성되어 있습니다. 그러므로 '나'란 존재가 없으면 '남'도 없고 '우리'도 없습니다. 그만큼 소중한 존재가 바로 '나'이고 내가 하는 말은 곧 '나'를 대변하는 것이므로 내 '입'을 잘 다스려야 합니다.

좋은 인연을 만들려면 적어도 세 번은 인내하라

> 사람을 사귈 땐 세 번은 인내하라.
> 그래야 상대도 마음을 열고 다가올 수 있고
> 깊은 곳까지 이해할 수 있다.
> 그러나 세 번을 인내했는데도
> 이해할 수 없을 땐 만나지 마라.

좋은 관계는 작은 인연에서 출발합니다. 작은 인연이란 상대에 대한 작은 배려라고 해도 무방합니다. 예를 하나 들까요? 어떤 남자가 앞에 걷던 여자가 지갑을 떨어뜨리는 걸 보고 주워주었습니다. 두 사람은 그것이 인연이 되어 사랑하게 되고 마침내 결혼까지 하게 되었습니다. 남자가 땅에 떨어진 지갑을 주워서 주는 행위는 상대에 대한 작은 배려이자 작은 인연입니다. 좋은 인연을 맺는 데는 많은 것을 필요로 하지 않습니다. 상대에 대한 고마운 마음, 배려하는 마음, 존중하는 마음입니다. 아니 이것은 모든 사람이 가지고 있어야 할 예의입니다. 그래야만 상대의 마음도 활짝 열 수 있습니다.

반대의 예를 하나 들어보겠습니다. 일전에 제 유튜브를 보던 시청자가 제게 이런 말을 한 적이 있습니다.

"스승님, 가끔 만나는 옛친구가 있는데 만나면 자기 자랑만 하고 정작 술값은 으레 제가 냅니다. 그렇다고 그 친구의 형편이 어렵지도 않습니다. 그런 친구를 계속 만나야 할까요?"

나는 단호하게 만나지 말라고 했습니다. 술값을 누가 내는가가 문제가 아니라 그 또한 친구에 대한 배려이지요.

사람을 사귈 땐 단 세 번만 인내하면 됩니다. 그 이상은 참지 마세요. 아무리 친한 사이라고 해도 술값을 세 번이나 내는 동안 한 번도 내지 않았다면 그 친구는 그저 심심해서 당신을 만나고 있을 뿐입니다. 사람을 만나는 데는 돈만 드는 게 아니라 아까운 시간은 물론, 마음마저 상하기 쉽습니다. 왜 그런 일을 자처합니까?

사람마다 생각의 질량과 에너지는 다르다

> 친한 사이일지라도
> 서로를 잘 아는 것 같지만
> 서로가 가지고 있는
> 생각의 질량과 에너지가 다르므로
> 완전히 다 안다고 볼 수가 없다.

우리에겐 마음을 터놓는 친구가 있고 그렇지 않은 친구가 있습니다. 심지어 자신은 친하다고 생각하는데 상대는 그렇지 않은 경우도 종종 있습니다. 왜 그럴까요? 서로 잘 알고 있는 것 같으나 사실은 각자가 가진 생각의 질량과 에너지가 다르므로 완전히 다 안다고 볼 수 없습니다.

한 이불을 덮고 사는 부부도 마찬가지입니다. 몇십 년을 함께 산 부부가 부딪히고 싸우는 일이 종종 발생하는 것도 각자가 가진 생각의 질량과 에너지가 다르기 때문입니다. 그렇다면 친구나 부부는 물론, 자신이 만나고 있는 사람들과 좋은 인연을 계속 유지하려면 어떻게 해야 할까요? 사심을 버리고 서로의 마음을 이해하는 연습을 해야 합니다.

'사심私心'이란 개인주의가 아닌 '극단적 이기심'을 가리킵니다. 민주주의 사회에서의 개인주의는 개인의 개성과 발전을 위해 어느 정도는 필요하나, '극단적 이기주의'는 오직 자신의 이익만을 추구함으로 아주 좋지 못한 행동입니다.

누구나 생각의 질량과 에너지를 지니고 있습니다. 이것은 지식과 경험으로 축적되므로 하루아침에 생성되고 사라지는 게 아닙니다. 그래서 사람은 생각의 질량과 에너지를 높이기 위해 꾸준히 공부해야 합니다. 당신은 생각의 질량과 에너지를 높이기 위해 지금 어떤 공부를 하고 있나요?

제7의 법칙

:

인간관계가 인생의 성공과 실패를 결정한다

상대를 존중하라

> 사람 관계를 잘 맺으려면
> 서로를 존중하라.
> 남을 존중하는 사람은
> 말과 행동이 바르지만
> 남을 존중하지 않는 사람은
> 말과 행동이 바르지 않다.
> 남을 존중하는 마음에서
> 관계가 시작됨을 명심하라.

이 세상에서 관계처럼 중요한 건 없습니다. 물론, 독불장군처럼 살아갈 수 있다면 사람 관계를 맺을 필요가 없겠지만, 사람은 혼자서 살 수 없는 동물입니다. 관계란 꼭 사람과 사람만이 아니라 사물과 사물과의 연관을 가리키기도 합니다. 이 우주도 넓은 관점에서 보면 관계 속에 있으며 지구에 생명이 사는 이유도 태양과 달이 존재하기 때문입니다. 그런데 어떤가요, 어떤 사람은 세상을 혼자 살 수 있다고 고립을 자처하기도 합니다만, 그건 착각입니다.

사람은 나라는 존재 자체가 사랑의 결실로 태어났으므로 혼자서 절대로 살아갈 수 없습니다. 이것은 부인할 수 없는 사실입니다. 꽃과 벌을 보세요. 꽃이 있기에 벌이 있고 벌이 있기에 꽃이 있습니다. 자연은 눈에 보이지 않지만 쉼 없는 관계 속에서 살아가고 있습니다.

예를 하나 들어볼까요? 여성이 예쁜 옷을 입고 매일 거울을 보면서 화장하거나 남성이 멋진 정장을 입고 광택 나는 구두를 신는 행위도 바로 관계의 시작 속에서 비롯된 것입니다. 사람이 무인도에서 혼자 산다면 자신을 가꿀 그 어떤 이유도 없을 테니까요?

사람 관계에서 가장 중요한 건 서로 간의 존중심인데 곧 상대를 배려하는 마음이 관계의 시작입니다. 그러므로 좋은 관계를 맺기 전에 상대를 존중하는 마음을 먼저 가지게 되면 저절로 내 말과 행동도 조심하게 됩니다. 이것이 관계의 시작입니다.

질량 에너지가 같은 사람을 만나라

> 누구나 자신만의 고유한 질량 에너지가 있다.
> 질량 에너지가 서로 다른 사람이 만나면
> 좋은 일도 때로는 화가 될 수 있고
> 질량 에너지가 같은 사람이 만나면
> 화도 좋은 일로 바뀔 수 있다.
> 그러므로 사람 관계를 맺을 때는
> 질량 에너지를 잘 헤아려야 한다.

사람은 누구나 자신만의 질량 에너지가 있습니다. 물리학 용어로써 어떤 물체든 그 물체만이 가진 고유한 속성이 있고 그것을 나타내는 물리량의 하나로 어떤 물체든 진행하는 방향으로 계속 가려는 관성과 위에서 아래로 떨어지려는 중력을 가지고 있는데 그 힘의 양이 곧 '질량'이라고 정의하고 있습니다. 에너지는 어떤 물체든 외부의 힘을 받지 않은 채 정지된 상태에서 그 물체가 가진 힘을 말한다고 합니다.

사람도 하나의 물체이므로 질량 에너지가 있습니다. 말하자면 '어떤 사람이든 그 사람만이 가진 고유의 질량과 그 누구의 도움을 받지 않고도 살 수 있는 자신만의 고유한 에너지를 가지고 있다.'라고 볼 수 있습니다. 그렇다면 당신은 어떤 질량 에너지를 가지고 있습니까?

사람은 철학적 측면에서 보면 '생각하는 동물'이지만, 의학적 측면에서 보면 단지 하나의 '동물'에 지나지 않습니다. 그런데 분명한 사실은 사람과 동물이 지닌 질량 에너지에는 엄청난 차이가 있다는 것입니다. 왜일까요? 그것은 생각 속에서 발산하는 질량 에너지 때문입니다. 사람이 명상 속에 빠져 골똘히 생각하면 그 에너지는 오히려 육체적 힘을 사용한 것보다 훨씬 더 소모됩니다. 이것이 바로 질량 에너지입니다.

그런데 서로 다른 질량 에너지를 가진 사람이 만나면 어떻게 되겠습니까? 좋은 일도 화가 될 수 있고, 서로 맞는 질량 에너지를 가진 사람이 만나면 나쁜 일도 복이 될 수도 있습니다. 그러므로 관계를 맺을 때는 이를 잘 헤아려야 합니다.

한마디를 하더라도 진실하라

> 내가 상대에게 한 말이
> 아무리 좋은 말일지라도
> 상대가 그 말을 수긍하지 못하면
> 오히려 화근이 되어 돌아올 수 있다.
> 백마디의 말보다 단 한마디라도
> 상대의 마음을 움직일 수 있는
> 진실한 말을 하라.

말에도 그에 맞는 질량이 있습니다. 아무리 좋은 덕담德談일지라도 상대가 수긍하지 못할 때는 오히려 화근이 될 수가 있으므로 그럴 때는 오히려 말하지 않는 것이 더 좋습니다.

상대의 마음을 깊이 헤아리지 않고 상대에게 한 말은 오해를 사거나 기분을 상하게 할 수도 있습니다. 그러므로 단 한마디라도 상대의 마음을 움직일 수 있는 말을 해야 합니다.

인간관계의 첫 번째 조건은 경청이다

경청은 인간관계의 첫 번째 조건이다.
상대의 말을 70% 정도 이해한 뒤에
자신의 의견을 비로소 말하라.
그것이 사람 관계를 최상으로 유지하는 비결이고
자기 성장의 지름길이다.

경청傾聽은 사람의 예의 중 가장 중요한 덕목이고 인간관계의 첫 번째 조건입니다. 왜 그럴까요? 경청은 단순히 상대의 말을 듣는 것이 아니라, 상대가 하는 말의 동기나 요지를 귀담아듣고 자신의 것으로 소화를 시켜서 나중에 자신의 의견을 밝히는 전 단계입니다. 더구나 커뮤니케이션이 보편화된 현대사회에서는 반드시 개인이 지니고 있어야 할 자세입니다.

재미있는 예를 하나 들어볼까요? 1960-70년대의 초등

학교 시절엔 경청이 생활화되어 있었습니다. 선생님이 가르치는 것을 귀를 쫑긋하고 노트 정리를 잘하는 아이가 공부를 더 잘했습니다. 부모님이 하는 말씀에 자식은 그 어떤 토도 달지 못했습니다. 이것이 바로 경청의 출발점이었습니다.

그런데 지금은 어떻습니까? 요즘 아이들은 다들 똑똑합니다. 인터넷만 열면 상식과 지식이 철철 넘쳐납니다. 그러니 선생님과 부모님의 말씀이 귀에 들어가겠습니까? 아이는 선생님과 부모님이 한참 말씀 중인데도 참지 못하고 대꾸하고 싶어서 입이 먼저 들썩거립니다. 요즘 이런 일은 학교와 기업은 물론, 사회에서도 종종 일어나는 현상들입니다. 이것은 어려서부터 경청을 생활화하지 못했기 때문입니다. 남의 말을 잘 경청하지 않는 사람은 마음이 불안정하고 산만합니다. 남을 존중하기보다는 이기심이 강해 인간관계도 좋지 못합니다. 되도록 이런 사람과는 멀리하는 게 좋습니다.

경청은 아주 좋은 습관이자 성공의 밑바탕이 됩니다. 윗사람이든 아랫사람이든 상대의 말을 70% 정도 충분히 이해한 뒤에 자신의 의견을 전달하는 것이 가장 좋은 경청의 방법입니다. 이것이 최상의 관계를 유지하는 비결이자 자기 성장의 지름길입니다.

영혼이 나의 주인공이다

> 영혼이 맑아야 육신도 깨끗해진다.
> 영혼이 깨끗하지 못한 사람은
> 얼굴의 상相도 딱딱하게 변한다.
> 우리 육신이 세상을 사는 것 같지만
> 사실은 우리 영혼이 세상을 살고 있다.
> 그러므로 우리가 이 세상에 온 것도
> 나의 영혼을 맑고 깨끗하기 위함이다.

우리는 이 세상에 육신이 온 게 아니라 영혼이 온 것입니다. 나라는 영혼은 먼 과거 속의 우주에서 떠돌고 있다가 시절이 도래하여 부모님의 몸을 받아서 지금 이 지구상에 온 것입니다. 이런 사실을 믿고 안 믿고는 당신의 자유이지만, 틀림없는 사실입니다. 그렇다면, 당신의 영혼은 맑고 깨끗할까요? 전생에 좋은 일을 많이 한 영혼은 맑고 깨끗하겠지만, 그렇지 못하면 탁합니다.

하지만 과거는 그리 중요하지 않습니다. 왜냐하면 영혼의 맑고 깨끗함은 현재 자신이 저지른 일에 비례하니까요. 남을 위해 좋은 일을 많이 하고 바르게 살면 전생에 탁했던 영혼이 현생에서는 맑고 깨끗해지지만, 현생에 남을 해치고 나쁜 짓을 하면 영혼이 탁해질 수밖에 없습니다.

주변을 살펴보십시오. 영혼이 맑고 깨끗하지 못한 얼굴상은 늘 굳어 있고 딱딱합니다. 이와 달리 영혼이 맑은 얼굴상은 그지없이 평온하고 고요합니다.

당신은 지금 자신의 영혼을 위해 어떤 일을 하고 있는지요. 육신이 이 세상을 사는 것 같지만, 사실은 나라는 영혼이 세상을 살고 있다는 걸 한시라도 잊어서는 안 됩니다. 이 지구상에 당신이 온 것도 전생의 잘못으로 인해 탁했던 내 영혼을 맑고 깨끗하게 하기 위함입니다. 그런 영혼을 함부로 하면 어떻게 되겠습니까? 영혼이 머무는 육신이 병을 얻게 되면 결국 이 지상을 떠나게 됩니다. 그것이 바로 죽음입니다.

누구나 자기 몫의 할 일이 있다

> 누구나 이 세상에 온 이상
> 자기 몫의 할 일이 있는 귀한 존재다.
> 그런 나를 함부로 해서는 안 된다.
> 그런 나를 잘 다스리는 사람이 성공한다.

누구나 이 세상에 온 이상 자신의 몫이 있고 할 일이 있습니다. 그런 귀한 존재가 바로 나입니다. 물론, 내 몸은 내 것임이 분명하지만 나쁜 데에 사용하면 단언컨대, 집안에 좋지 못한 일이 생기거나 자신의 신상에 반드시 큰 문제가 발생합니다.

그래서 불교에서는 재가자나 출가자가 지켜야 할 가장 기본적인 생활 규범으로 '살생하지 마라. 도둑질하지 마라. 음행을 저지르지 마라. 거짓말을 하지 마라. 술을 먹지 마라' 등 오계五戒를 두고 있고, 기독교에는 '여호와의 이

름을 망령 되게 부르지 마라. 우상을 만들지 마라. 다른 신을 두지 마라. 안식일을 지켜라. 부모를 공경하라. 살인하지 마라. 간음하지 마라. 도둑질하지 마라. 거짓 증언하지 마라. 남의 재물을 탐하지 마라.' 등 십계명十誡命을 두고 있습니다. 불교와 기독교를 비교해보면 공통으로 '살생, 도둑질, 음행, 거짓말' 등을 금하라고 합니다.

이 세상은 혼자 사는 곳이 아니라, 더불어 사는 곳입니다. 그렇기에 개인이 지켜야 할 규범이 있습니다. 이것을 제대로 지켰을 때 비로소 자신의 몫을 찾을 수가 있습니다. 나를 잘 다스리는 사람이 남에게 존경받을 수 있고 인생에 성공할 수 있습니다.

자신의 장단점을 알면 성공한다

> 누구나 장단점을 가지고 있다.
> 70%의 장점이 있는 사람은 성공할 수 있지만
> 70%의 단점이 있는 사람은 실패한다.
> 능력 있는 사람은 자신의 단점을 알고
> 그것을 장점으로 바꾸는 이다.

누구나 장단점을 지니고 있습니다. 다만, 장점이 많은가, 단점이 많은가에 따라 그 사람의 성품이 결정됩니다.

그런데 반드시 유의할 것이 있습니다. 장점과 단점 중 어느 한쪽이 70%를 넘어서게 되면, 인생에서 성공하거나 실패한다는 것입니다. 그렇기에 남보다 성공하려면 자신의 단점이 무엇인지 평소에 잘 살펴야 합니다.

여기에 전제가 있습니다. 설령 자신의 단점을 잘 안다고 해도 스스로 고치지 않는다면 무용지물이라는 것입니다.

그렇기에 자신의 장단점을 잘 다스리는 것도 성공의 척도가 될 수 있음을 꼭 명심해야 합니다.

상대가 나를 좋아하는 까닭은

> 상대가 나를 좋아하고 있다면
> 그 이유가 무엇인지 알고 있어야 한다.
> 그래야 오랫동안 진실하게 만날 수 있다.

우리가 늘 착각하는 것이 있습니다. 상대가 나를 좋아하고 있다고 해서 그 상대가 진짜로 나를 좋아한다고 생각하는 것입니다. 사실은 그게 아니라, 나라는 사람이 가진 능력과 부와 명예를 존경하고 있는 건 아닐까요? 요즘처럼 물질 만능시대에는 더욱 그렇습니다. 딴은 "도대체 이게 무슨 소리인가?" 하고 반문하겠지만, 나라는 존재는 그냥 나가 아니라, 나를 이루고 있는 얼굴은 물론, 성품, 재주, 능력, 부와 명예의 총집합체입니다. 그렇기에 이는 매우 당연한 이치입니다.

사람의 능력에 대해 이 세상은 잔인할 정도로 잣대를

들이댑니다. 남이 나를 존경하거나 하대를 하는 것도, 내가 가지고 있는 능력 때문입니다. 지위가 있으면 남들로부터 존경받겠지만, 그렇지 못하면 존경받지 못합니다. 이것은 남의 잘못이 아니라 나의 잘못입니다. 이 같은 상관관계를 깊이 생각하면 자신이 지금부터 어떤 마음으로 살아야 할지 분명한 해답이 나옵니다. 당신은 지금 어디로 가고 있습니까? 혹시 지금도 그 길을 착각하고 있지는 않은지요?

착하게 사는 것보다 바르게 살라

> 착한 것은 착한 것일 뿐 바른 것이 아니다.
> 20대까지는 착한 성품을 닦아야 하고
> 40대부터는 착하게 살면 바보가 된다.
> 그냥 착하게만 살면 사기꾼이 따르고
> 상대를 사기꾼으로 만드는 재료가 된다.
> 착하게 사는 것보다 바르게 사는 것이 더 중요하다.

우리는 누군가를 평가할 때 '착하다'라는 표현을 자주 씁니다. 그런데 '착하다'는 건 그저 어질고 선하다는 것일 뿐, 그 사람의 성품이 바르다는 건 절대로 아닙니다. 착함과 바름은 그 뜻이 분명 다릅니다. 물론, 성품이 어질고 착하다는 건 개인의 장점이 될 수 있으나 요즘처럼 치열한 경쟁 사회 속에서 착하기만 하면 그다지 좋은 것이 아닙니다. 그보다 더 중요한 건 바르게 사는 것이지요. 그렇다면 어떤 자세로 사는 것이 바른 삶일까요? 도덕과 윤리를 지키고, 법을 지키면서 제 할 일을 스스로 찾아서 하는 것입니다.

요즘 아이들은 유치원 때부터 고등학교까지 무려 13년 동안 공부합니다. 그토록 긴 시간 동안 학교에 가는 이유는 미래에 성장해서 인간답게 살기 위함입니다. 그런데 어떻습니까? 요즘 부모들은 아이들에게 인성은 도외시하고 무식하게 공부만 강요합니다. 그러니 요즘 아이들에겐 어른도 없고 위아래도 없습니다. 그런 아이가 어떻게 바르게 성장할 수 있겠습니까? 아이의 미래를 위해서 20대까지는 학업 못지않게 인성 공부도 매우 중요합니다.

사람의 성품과 인격은 20대 이전에 이뤄집니다. 20대에서 30대까지는 미래를 위해 차근차근 준비해야 하고, 40대부터는 착함보다는 바르게 살아야 성공할 수 있습니다. 그저 착하기만 하면 주위에 사기꾼이 들끓게 되고, 때론 착함이 상대를 사기꾼으로 만드는 훌륭한 재료가 되기도 합니다. 이를 소홀히 하면 말년에 큰 어려움이 뒤따르게 된다는 것을 꼭 명심하세요.

자신이 잘못한 일을 남탓으로 돌리지 마라

> 일마다 남탓을 하고
> 불평이나 화를 내는 것은
> 가장 나쁜 버릇이다.
> 아무도 그런 권리를 자연으로부터
> 부여받지 않았다는 걸 명심하라.

주위에 보면 남탓을 하면서 불평불만을 입에 달고 사는 사람이 가끔 있습니다. 성질머리가 나빠서 남이 무슨 말만 하면 '버럭' 하고 화까지 냅니다. 매우 나쁜 버릇이지요. 도대체 왜 그럴까요? 누군가로부터 인정받고 싶으나 능력과 자질이 부족해 화가 밖으로 표출되기 때문입니다. 만약, 주변에 이런 상사와 직원이 있으면 아예 무시해버리는 게 정신건강에 좋습니다.

그리고 반드시 알아야 할 사항이 있습니다. 내가 남에게 화를 내거나 불평할 권리를 대자연이 주지 않았다는 사실입니다. 모든 사회적 범죄가 다 그렇습니다. 나는 나일 뿐, 남을 해칠 그 어떤 권한도 대자연으로부터 부여받지 않았다는 걸 꼭 명심해야 합니다. 그렇기에 죄를 지으면 사회법으로 벌을 받는 것입니다. 사회법이 곧 대자연의 법입니다.

제8의 법칙

:

성품은 자기가 만들어가는 것이다

시시비비를 멀리하라

살다가 보면 뜻하지 않은 일로
남과 시시비비가 붙을 때가 있다.
그럴 땐 사소한 일인가 큰일인가를
먼저 잘 판단한 뒤에
시시비비를 가려도 늦지 않다.
티끌같이 작은 일로
돈과 시간을 애써 낭비할 필요가 없다.

남과 더불어 살다 보면 뜻하지 않은 일로 다투는 일이 많이 생깁니다. 그런데 티끌 같은 아주 작은 일로 트집을 잡아서 시시콜콜 시비 거는 사람이 꼭 주변에 있습니다. 이럴 때는 가능하면 그 사람과의 관계를 멀리하는 게 좋습니다. 물론, 시시비비를 가려야 할 일이라면 당연히 가려야 하나 시간과 스트레스까지 받으면서까지 싸울 필요가 없다는 얘기입니다.

시시비비란 '너는 그르고 나는 옳다'는 생각을 가지는 걸 말하는데 객관을 떠나 매우 주관적이기 때문에 다툼이 일어나고 그로 인해 시간과 돈은 물론, 나중엔 갈등의 원인은 온데간데없이 사라지고 급기야 자존심 문제로 번져 몸까지 상하게 됩니다.

그러므로 사람이 큰일을 하려면 어떤 것이 중요한 일인지 잘 구분하고 판단해야 합니다. 대개 시시비비는 시간이 지나면 사소한 일인 경우가 대부분입니다. 오히려 다른 큰일을 하지 못하므로 그럴 땐 시간을 두고 생각하는 게 상책입니다.

적당한 욕심은 가져라

> 욕심이 과하면 탈이 나지만
> 적당한 욕심은
> 자기를 발전시킨다.
> 무조건 양보만이 능사가 아니다.

옛말에 '욕심이 없으면 근심도 없다'고 했습니다. 그런데 생각해보면 딱히 좋은 말이 아닙니다. 요즘처럼 치열한 시대에는 욕심이 없으면 뒤처지기 일쑤입니다. 이는 과한 욕심을 경계하라는 것이지 욕심을 가지지 말라는 건 아닙니다.

일전에 베스트셀러 작가가 되어 인세와 강연 등으로 돈을 많은 번 어떤 스님이 있었습니다. 그는 자기가 쓴 책에서 '무소유'를 거듭 강조한 바 있었지만. 알고 보니 자신은 호화생활을 하는 것이 세간에 밝혀져 크게 지탄받은 적이 있었습니다. 자기 돈을 자기가 쓰는데 무슨 문제가 되느냐고 반문하는 사람들도 있습니다만, 일반인이 아닌 계율을 중시하는 수행자이기 때문에 문제가 되는 것입니다.

특히 불교에서는 150개의 비구계를 수지受持해야만 출가할 수 있습니다. 더구나 스님은 일반인과 달리 수행자이므로 사유재산을 가지지 못한다고 계율로 명시되어 있습니다. 물론, 성직자도 구도의 삶을 살려면 얼마간의 돈은 필요하나 넘치거나 과하면 안 됩니다. 그렇지만 일반인들에게 욕심은 자기 발전의 원동력이 됩니다.

욕심이 없다는 건 그만큼 성취욕이 없다는 것이지요. 그러므로 욕심은 가지되 도둑질하거나 사기를 쳐서는 안됩니다.

모르고 짓는 죄가 더 크다

> 죄임을 알고 저지르는 것보다
> 죄임을 인식하지 못하고
> 무지로 인해 저지르는 죄가 더 큰 죄다.

죄임을 알고도 저지르는 죄와 모르고 저지르는 죄 중 어떤 게 더 큰 죄일까요? 사회법에서는 죄임을 알고도 지은 죄가 더 크다고 하지만, 사실은 모르고 짓는 죄가 더 큽니다. 전자는 의도적인 행위를 가리키지만, 후자는 무지에서 나옵니다. 게다가 우리 주변에는 자신이 분명히 잘못했는데도 그걸 잘 인식하지 못하는 사람들이 간혹 있습니다. 특히 불특정한 다수를 향해 '묻지 마 폭력'을 행사하거나 살인을 저지르고도 그것이 죄임을 모른다는 사실이 얼마나 무섭습니까? 무지에서 나오는 죄는 무턱대고 행하는 것이어서 더 큰 죄를 짓기 쉽습니다.

의학에서는 공격적 성향을 막는 분비물인 세로토닌이 부족하여 별로 큰일이 아닌데도 강한 공격적 성향이 있는 사람을 반사회적 인격장애로 보고 '사이코패스'라고 규정하고 있습니다. 이런 사람은 정서가 매우 불안정해 자신의 행위가 큰 죄임을 인식하지 못하는 경우입니다.

그러므로 의도적 행위인 사기나 도둑질보다 자신의 감정을 제어하지 못하고 저지르는 행위는 더 큰 범죄를 불러옵니다. 이것이 바로 어려서부터 인성교육이 중요한 이유입니다.

환골탈태는 생각을 바꾸는 것이다

> 환골탈태는 내가 가진
> 잘못된 생각을
> 완전히 바꾸는 것이다.
> 몸과 행동은 그대로 하면서
> 잘못된 생각을 바꾸지 않는다면,
> 완전한 환골탈태라고 할 수 없다.

어릴 때부터 만들어진 사람의 습성은 좀처럼 바꾸기가 힘듭니다. 물론, 좋은 습성이면 좋겠지만, 나쁜 습성은 더 그렇습니다. 그런데 자신에게 굳어 있는 오래된 습성을 바꾸고 환골탈태換骨奪胎하려면 어떻게 해야 할까요. '환골탈태'란 '뼈를 바꾸고 그 속에 든 태마저 빼낸다'는 뜻입니다. 때로는 '뼈를 깎는 고통과 반성한다'라는 의미로도 쓰이기도 합니다. 오죽하면 우리 사자성어에 '작심삼일'이란 말이 있겠습니까? 아무리 결심해도 단 3일을 견디지 못하는데 어떻게 완전한 '환골탈태'를 이룰 수 있겠습니까?

그런데 요즘 이 말이 무슨 정치권의 전유물이 된 것 같아서 안타깝습니다. 정치인들은 말끝마다 이 사자성어를 재미삼아 들이댑니다. 그러고도 정치인들이 조금도 변하지 않는 걸 보면 참 한심합니다.

'환골탈태'는 그냥 되는 게 아닙니다. 말 그대로 '뼈를 깎는 고통과 반성'이 동반되어야 합니다. 하물며 그 오랜 세월 동안 몸속에 굳어진 나쁜 습성과 행동을 바꾸는 것이 하루아침에 되겠습니까? 지금이라도 잘못 생각하고 있다면 이를 과감하게 버리고 새로운 마음으로 시작해야 합니다.

도둑도 사기꾼도 스승이다

> 세상 모든 만물이 스승이다.
> 심지어 도둑도 사기꾼도 스승이다.

만물이 모두 스승입니다. 꽃과 나무, 새와 바람, 물소리조차 스승 아닌 것이 없습니다. 심지어 도둑도 사기꾼도 모두 스승입니다. 왜 그럴까요? 봄이면 꽃이 피고 가을이면 꽃이 지는 자연의 이치가 그렇습니다. 도둑을 당하면 문단속을 잘하고 사기꾼을 만나면 잘 살피라는 의미이지요. 이렇듯 만물은 내 마음의 거울입니다. 진리는 먼 곳에 있는 게 아니라 의외로 우리 가까이에 있습니다. 그런데 이런 평범한 이치조차 우리는 자주 잊고 삽니다.

스승이란 의미는 무엇일까요? 앞에서 언급했듯이 삶의 가르침을 전해주는 어떤 대상을 가리킵니다. 여기에는 사람만 가리키는 게 아니라 만물의 이치 또한 스승이 된다는 의미이지요. 나는 17년이라는 기나긴 세월 동안 신불산에서 쓰레기를 줍고 살면서 그걸 깨달았던 것입니다.

그런데 어떻습니까? 사람들은 자신에게 피해를 준 사람에게 복수하려고만 들지 그걸 교훈으로 삼으려고 하지 않습니다. 그럴수록 더 깊은 나락으로 빠질 뿐입니다. 사람은 좋은 일과 나쁜 일을 당하면 그것을 스승 삼아서 좋은 일은 더 좋게 만들고, 나쁜 일을 겪으면 또다시 겪지 않기 위해 생각을 변화시켜야 합니다. 그래야 더 크게 성장할 수 있습니다.

나이가 들수록 성장하라

> 젊었을 때 하는 일이 다르고
> 어른이 되었을 때 하는 일이 다르다.
> 나이가 들수록 이념과 철학도 달라져야 한다.

20대에는 눈앞의 작은 이익을 좇는 걸 금하고 항상 뜻을 높은 곳에 두어야만 나중에 큰일을 할 수 있습니다. 30대에 들어서는 미래를 위해 사회에서 좋은 사람들을 만나 항상 무엇이든 배워야겠다는 마음을 가져야 40대에 들어서 자신의 꿈을 이뤄 50대부터는 안정된 생활을 누릴 수 있습니다.

그러나 50대의 대다수는 그렇지 못합니다. 사회와 기업은 끊임없이 변화하고 있고, 기업도 늘 젊은 세대를 원하고 있습니다. 그것이 현실이므로 사회와 기업만을 탓할 수는 없습니다. 60대 이후 어른이 되어서는 사회를 위해 자신이 해야 할 일을 찾아야 합니다. 이 시기에도 허둥대는 건 젊은 시절을 잘못 살아온 탓이 큽니다. 반대로 재물을 많이 모았다고 해서 자기만의 노후를 즐기겠다는 건 그다지 좋은 생각이 아닙니다. 사회로부터 자신이 받은 걸 남에게 베푸는 일도 즐거운 삶입니다.

그리고 노후에는 좋은 친구를 만나 좋은 일을 함께하는 것도 좋습니다. 젊었을 때 알았던 친구가 지금까지도 자신과 이념이 같고 철학이 같으면 그가 진정한 친구일 수 있으므로 관계를 유지하는 것이 더 좋습니다. 이와 달리 젊었을 때 아무리 친했다고 하더라도 그동안 살아온 생활방식이 다르므로 나이가 들어서는 이념과 철학이 다를 수밖에 없습니다. 그런 친구와는 억지로 만날 필요가 없습니다. 그래서 진정한 친구 한 사람을 얻기란 정말 어렵다는 것입니다. 예나 지금이나 한결같은 친구가 진정 좋은 벗입니다.

환경은 자신이 만든다

> 내가 어려운 환경 속에서 자랐다고 하더라도
> 그 사회로부터 버림받았다고 생각하지 말라.
> 나의 정신이 온전히 살아있다면
> 얼마든지 세상을 행복하게 살 수 있다.
> 환경은 자신이 만드는 것이다.

우리는 세상을 오고 싶어서 온 게 아닙니다. 비록 좋지 못한 환경 속에서 태어나고 자랐다고 하더라도 절대로 부모를 원망해서는 안 됩니다. 부모로부터 몸을 받지 않았다면, 자신의 존재도 없었습니다. 그런데 요즘 젊은이들은 "자기들 좋아서 낳아놓고 왜 힘들게 하느냐."고 부모의 가슴에 못질하는 '천인공노'할 말을 함부로 합니다. 그 말이 진정 무슨 의미인지도 모르고 막말합니다. 그런 젊은이들이 어떻게 이 세상을 온전하게 살아갈 수 있겠습니까?

지금의 사회는 자신이 열심히 노력하면 무엇이든 할 수 있는 환경이 잘 만들어져 있습니다. 국가에서 장학금을 주기에 돈이 없어서 공부하지 못하는 학생은 없습니다. 그런데도 환경을 탓하는 건 아주 잘못된 생각입니다. 지금의 부모들은 베이비붐 세대로서 더 어려운 환경 속에서 살아왔습니다. 그런데도 불굴의 정신으로 지금의 한국을 만들었습니다.

환경은 자신이 만드는 것입니다. 부모와 사회를 탓하는 것은 옳지 않습니다. 중요한 건 자신의 이념과 철학입니다. 이를 바탕으로 열심히 노력한다면 미래를 행복하게 살 수 있습니다.

나를 나쁘게 만드는 인연법은 없다

본디 나를 나쁘게 만드는 인연법은 없다.
그 인연과 나 사이가 급격하게 나빠진 것은
내가 그런 환경을 만들었기 때문이다.
나쁜 인연이든 좋은 인연이든
누가 만들어주는 것이 아니라
내가 만든다는 것을 잊지 말라.

인연因緣은 어떤 원인[因]이 연[緣]을 만나 어떤 결과가 만들어지는 걸 가리킵니다. 석가모니 부처님은 인간은 태어난 순간부터 괴로운 존재이기에 '무명無明, 행行, 식識, 명색明色, 육입六入, 촉觸, 수受, 애愛, 취取, 유有, 생生, 노사老死' 등의 12가지 과정을 차례로 겪고 난 뒤 늙어서 생을 마감한다고 하였습니다. 이를 압축하면 '생로병사生老病死'입니다.

하지만 '인간은 태어나는 순간 그 자체가 괴로움의 존재이며, 12인연법을 그쳐서 결국 죽는다.'라는 석가모니의 가르침은 2천여 년 전 당시로선 대단한 깨침인 것은 분명하지만, 생명의 탄생을 너무 죽음의 관점으로만 본 것이어서 요즘 시대엔 다소 어울리지 않는다는 생각이 듭니다. 누구나 이 세상에 왔으면 한 생을 즐겁게 살 권리가 있으며 때론 행복한 죽음도 있습니다.

우리는 세상을 살면서 좋은 인연과 악한 인연들을 만날 수밖에 없습니다. 그렇기에 자기 노력 여하에 따라서 얼마든지 악한 인연을 좋은 인연으로 바꿀 수 있습니다. 인연은 누가 만들어주는 게 아니라 바로 자신이 만들기 때문입니다. 그래서 불교에서는 찾아오는 인연은 거스를 수 없다고 하지요. 바꿀 수 없는 단 하나의 인연이 있다면 대자연과 하늘이 만들어준 부모자식관계입니다. 이를 우리는 천륜天綸이라고 합니다. 그 이외의 인연은 수시로 바뀝니다.

누구나 단점을 가지고 있다

> 누군가가 나의 단점을 일러주면
> 그 사람에게 고마워하라.
> 그래야 내가 더 성장할 수 있다.

사람은 본질적으로 남의 단점은 잘 보지만 자신의 단점이 무엇인지 잘 모릅니다. 그럴 땐 누군가가 단점을 일러준다면 오히려 고마워해야 합니다. 우리는 친구나 동료, 혹은 상사가 자신에게 단점을 일러주면, 기분부터 먼저 나빠져 화를 내거나 상대를 멀리 하려고만 합니다. 그래선 좋은 인연을 만날 수 없고 자신 또한 성장할 수 없습니다.

누구나 장단점을 지니고 있습니다. 그리고 누군가에게 단점을 말할 때는 지적하듯이 해서는 안 되며 "너는 이런 것은 참 좋은데 이런 것은 좋지 못하다' 등 상대의 장점을 먼저 말하고 단점을 말하는 것이 좋습니다. 이때는 반드시 본인에게 직접 말해야 나중에 큰 오해를 사지 않습니다. 모든 다툼의 원인은 흉을 보듯이 삼자에게 상대의 단점을 말하기 때문입니다. 이것은 아주 좋지 못한 행동입니다.

불교의 『금강경』을 보면 석가모니 부처님과 수보리의 문답이 나옵니다. 여기에서 석가모니는 수보리에게 "수보리야 나는 이렇게 생각하는데 너는 어떻게 생각하느냐"고 말합니다. 이것을 '어의운하於意云何'라고 합니다. 이 같은 문답법의 방식은 상대에 대한 예의와 겸허가 농축되어 있습니다. 이것이 말하고 듣기의 최상의 방법입니다.

사람은 완성된 인격체가 아닙니다. 귀와 마음을 열어 두어서 장점은 발전시키고 단점은 하나씩 고쳐나가야 합니다. 이것이 바로 자기 공부입니다. 그래야만 내가 성장할 수 있습니다.

자기 공부가 된 사람은 두려움이 없다

자신이 공부가 되어 있으면
사기꾼이 절대로 근접하지 못한다.
애초부터 공부가 된 이에게는
사기가 통하지 않는다는 것을
이미 알고 있기 때문이다.
사기꾼이 다가오는 것은
자기 공부가 덜 되어 있기 때문이다.
이렇듯 자기 공부가 된 사람은
어떤 일이 닥쳐도 두려움이 없다.

우리 속담에 '소 잃고 외양간 고친다'가 있습니다. 옛날에는 이런 일이 많았습니다. 이것은 도둑을 당한 뒤에 문단속하지 말고 미리 예방하라는 의미입니다. 세상 공부도 그렇습니다. 평소 자기 공부가 되어 깨친 사람은 사기꾼이 찾아와서 온갖 사탕발림의 말을 해도 자기 기준이 엄격해서 사기를 당하지 않습니다. 그리고 사기꾼들이 그 사람에게는 술수가 통하지 않는다는 것을 이미 알고 있으므로 애초에 근접하지 않습니다.

그러나 공부가 덜 되어 있는 사람은 사기꾼의 술수에 당하기 쉽습니다. 요즘 보이스피싱으로 인해 많은 사람들이 피해를 보고 있다고 합니다. 그런데 희한하게도 배운 사람들이 더 많이 당한다고 합니다. 이것은 자신의 똑똑함만 믿고 자기 공부를 소홀히 한 까닭입니다.

제9의 법칙

:

인연보다
더 소중한 것은 없다

인연을 소중히 하라

> 지금 내 앞에 있는 사람을
> 함부로 무시하지 말라.
> 그 사람이 가장 소중한 인연이다.

이 세상에 인연보다 더 소중한 건 없습니다. 지금 당신이 앉아있는 그 자리도 모두 인연의 결과물임을 잊지 마세요. 만남에도 '선연善緣'과 '악연惡緣'이 있을 수 있습니다. 그러나 '악연'도 자신의 마음 먹기에 따라 얼마든지 '선연'으로 만들 수 있습니다.

처음부터 악연은 없습니다. 인연의 힘은 매우 강력함으로 그 인연을 소중하게 생각하는 사람이 나중에 큰일을 할 수 있습니다.

그런데 어떤가요. 혹시 당신은 자신에게 찾아온 인연을 무시하거나 함부로 대하지는 않았나요. 그렇다면 지금이

라도 그 인연에 대해 다시 한번 생각해보세요. 이 세상에 버릴 수 있는 인연은 하나도 없습니다

자식은 전생의 인연으로 온다

> 부모와 자식은 전생의 인연으로 온다.
> 부모는 자식을 잘 길러야 할 의무가 있고
> 만약 자식을 위해 노력한 것이 없다면
> 자식은 성장한 뒤 부모를 따르지 않는다.
> 부모 자식 관계보다 밀접한 인과因果는 없다.

당신은 전생前生과 내생來生을 믿습니까? 물론, 믿고 안 믿고는 생각의 자유입니다. 하지만 분명히 전생과 내생은 존재합니다. 아니 전생과 내생이 있다고 믿는 게 훨씬 편할 수도 있습니다.

그렇다면, 부모와 자식은 어떤 관계일까요? 부모가 전생의 인연으로 자식을 불렀기에 이 세상에 온 것입니다. 그렇지 않았다면, 지금 나라는 존재는 없습니다. 그리고 부모는 인연으로 만난 자식을 잘 먹이고 입히고 공부시키는 것이 의무입니다. 그렇지 못하면 자식은 원망할 수밖에 없고, 심지어 자란 뒤에 부모를 따르지 않을 수도 있습니다.

부부는 돌아서면 남이 될 수 있지만 자식은 하늘이 지어준 인연입니다. 그렇기에 부모 자식 사이는 그 어떤 인연보다도 철저한 인과가 따른다는 걸 거듭 명심해야 합니다.

인연은 자신이 만든다

> 배운 이는 배운 이끼리 만나고
> 부자는 부자끼리 만나고
> 가난한 이는 가난한 이끼리 만난다.
> 인연은 자신이 갖춘 만큼
> 맺어진다는 것을 한시도 잊지 말라.

요즘 '금수저'니 '흙수저'니 하는 말이 많이 회자 되고 있습니다. 이 또한 어리석은 인간들이 하기 좋은 말로 하는 소리입니다. 정말 '금수저'와 '흙수저'가 있을까요? 물론, 조선시대에는 신분제도가 부모가 양반이면 자식도 양반, 부모가 백정이면 자식도 백정이었습니다. 지금 시대는 어떻습니까? 부잣집에서 태어나던 가난한 집에서 태어나던 자신의 노력 여하에 따라 얼마든지 부자가 될 수 있고 명예를 얻을 수가 있습니다. 물론, 극소수만 이룰 수 있다는 게 문제이기는 합니다. 그렇지만 남보다 성공하려면 '금수저 흙수저' 타령보다는 먼저 자신의 실력을 갖추는 것이 훨씬 더 빠릅니다.

'초록은 동색同色'이라고 하지요. 즉 세상은 끼리끼리 만납니다. 지식인은 지식인을, 정치인은 정치인을, 부자는 부자를, 가난한 이는 가난한 이들끼리 만납니다. 이것은 눈에 보이지 않는 세상의 법칙입니다. 그래서 사람들은 성공하려면 물 좋은 곳에서 살아야 한다고 농담처럼 말하기도 합니다. 그런데 물 좋은 곳에서 살려면 어떤 노력을 해야 할까요? 자기 공부를 열심히 해 실력을 키워 나가야 합니다. 제가 이런 말을 하면 비난할지도 모르지만 냉정하게 자신에 대해 생각해보세요. 성공을 위해 어떤 노력을 했을까요? 이렇듯 자신이 공부한 것만큼 좋은 인연도 만날 수 있다는 걸 명심해야 합니다.

바르지 못한 것은 반드시 화로 돌아온다

바르지 못한 것은 때가 되면
화로 반드시 돌아온다.
눈앞의 작은 이익에
마음을 빼앗기지 말라.
욕심으로 인해
주화입마走火入魔에 걸린다.

바르지 못한 것은, 때가 되면 자신에게 반드시 화로 되돌아온다는 사실을 거듭 명심하고 있어야 합니다. 이것은 대자연의 이치입니다. 고타마 싯다르타가 6년 동안 설산에서 고행하시다가 깨친 '이것이 있으므로 저것이 있다.'라는 '인과법'도 본디 대자연 속에 있었던 진리를 그가 발견한 것에 지나지 않습니다. 이처럼 세상은 바르지 못한 것에 대해서는 반드시 그 죄를 묻습니다. 설령, 사회법이나 주위의 환경이 죄를 묻지 않더라도 '주화입마'에 걸릴 수 있습니다. 이것은 '잘못된 기氣의 운용으로 인해 몸에 큰 병이 생긴다'는 '사자성어'입니다. 그러므로 눈앞의 작은 이익에 자신의 마음을 빼앗기지 말고 항상 자신의 기준을 멀리 바라보아야 합니다. 그래야 더 크게 성장할 수 있으므로 내가 하는 행동이 바른지 나쁜지 항상 잘 살펴야 합니다.

코로나는 오만방자한 인간에 대한 경고다

> 코로나 역병疫病은
> 대자연이 오만한 인간을
> 공부시키기 위해 찾아온
> 대자연의 위대한 선물이다.
> 그러므로 오히려 인간은
> 코로나를 고맙게 생각해야 한다.

2019년 12월부터 중국에서 시작된 코로나로 인해 수백만 명이 목숨을 잃었으며 지금도 코로나는 기승을 부리고 있습니다. 그로 인해 현대 의학은 백신을 긴급하게 개발했지만 부작용도 만만찮게 일어나고 있고, 또한 새로운 변이의 등장으로 인해 3년이 지난 지금에도 여전히 사라지지 않고 있습니다. 어쩌면 코로나는 이 지구상에서 영원히 사라지지 않을지도 모릅니다. 그런데 코로나는 왜

이 지구상에 나타나서 그토록 많은 생명을 앗아갔을까요.

이것은 대자연이 오만방자한 인간의 정신을 일깨워주고 경고하기 위해 코로나를 번지게 한 것입니다. "무슨 허무맹랑한 소리인가"라고 하겠지만, 너무도 당연한 이치입니다. 그로 인해 인간은 질병에 대한 면역성과 내성을 기르게 됐고, 어리석은 정신을 일깨우는 큰 계기가 되었습니다. 그런 까닭에 인간은 어쩌면 코로나를 고맙게 생각해야 할지도 모르겠습니다.

생명의 가치는 인간이나 동물이나 별반 다르지 않습니다. 지구를 무분별하게 훼손하지 말라는 대자연의 경고로 받아들이면 됩니다. 사실 인간에게 중요한 것은 육신의 면역이 아니라 정신의 면역입니다. 희생 없는 성장은 없으며 폭풍 뒤는 항상 고요하다고 합니다. 이번 역병이 대자연의 가르침을 마음 깊이 받아들이는 계기가 되었으면 좋겠습니다.

융합이 곧 발전이다

> 사회 전반에 걸쳐서
> 눈만 뜨면 불평불만과 투쟁이다.
> 지금은 투쟁의 시대가 아니라
> 사람을 이롭게 하는 시대이다.

민주사회가 되면서부터 사회 전반에 걸쳐서 시민 단체가 우후죽순으로 늘어났습니다. 분명히 좋은 현상이지만, 문제는 뚜렷한 목적 없이 심심하면 정부를 향해 투쟁하고 있습니다. 이게 무슨 소리인가 하겠지만, 우리가 반성해야 할 것은 반성해야 합니다.

국가의 주인은 누구일까요? 우리 국민입니다. 그런 주인들이 대통령과 정부를 향해 불평불만을 쏟아내면 정작 어려워지는 것은 누구일까요? 바로 우리 국민입니다. 물론, 정부가 잘못하는 것도 많습니다. 국가의 주인인 국민이 정치인들에게 월급을 주고 있는데도 정작 국민이 불평불만을 쏟아내는 건 오히려 국가의 발전을 저해하는 요인이 될 수도 있다는 것입니다. 그런데 어떻습니까? 국민이 대통령을 뽑았으면 대통령으로 인정한 뒤 잘잘못을 따져야 합니다. 국가와 국민이 융합하지 않은 나라의 끝은 불 보듯 뻔합니다.

불평불만을 자주 하면 내가 힘들어진다

> 내가 불평불만을 한 번 쏟아내면
> 자신이 한 번 어려워지고
> 내가 불평불만을 두 번 쏟아내면
> 자신이 두 번 어려워지고
> 자꾸 쏟아내면, 큰 병이 찾아온다.

가정에서 아내가 남편에게 자식이 부모에게 원하는 것이 있으면 대화로 풀어야지 무조건 불평불만을 쏟아내면 그 가정으로 들어오던 복과 운도 도리어 도망가는 것이 대자연의 이치입니다. 무엇보다도 불평불만이 많아지면 자신이 어려워지는 것은 물론, 나중에는 몸에 큰 병이 찾아옵니다. 어려움이 찾아온 것과 큰 병이 생기는 건 근본적으로 다릅니다. 어려움은 노력 여하에 따라 극복되지만, 큰 병은 회복이 힘듭니다. 이처럼 불평불만은 개인에게 아주 나쁜 버릇입니다. 불평불만이 쌓이면 나중엔 '홧병'이 되는 것도 그 때문이지요. 홧병은 만병의 원인이 됩니다. 부자가 되려면 우선 불평불만부터 하지 마세요.

농부와 예술인

> 농부는 스스로 곡식을 키워서
> 수확하는 데서 즐거움을 얻고
> 예술인은 글과 그림, 도예를 통해
> 많은 사람들을 즐겁게 한다.
> 이처럼 자기가 좋아서 하는 일은 노동이 아니다.
> 그런데 만약, 농부와 예술인이
> 일한 대가로 보수를 받으면
> 그들도 노동자가 될 수밖에 없다.

농부가 식물을 키우는 데에 즐거움을 두지 않고 소득을 위해 농사를 짓는다면, 그는 노동자가 될 수밖에 없습니다. 예술인도 마찬가지입니다. 애초에 화가가 작품에 뜻을 두지 않거나 가수가 돈을 벌기 위해 노래하거나 시인이 좋은 시에 뜻을 두지 않고 돈을 벌기 위해 시를 쓰게 되면,

그 순간 그들은 예술가가 아니라 스스로 노동자로 전락할 수밖에 없습니다. 그런데 주위에 보면 예술인으로 큰 부자가 된 사람들이 있습니다. 그들은 돈을 벌기 위해 일한 것이 아니라 예술에 뜻을 두고 즐겁게 일하다가 보니 뜻하지 않게 부자가 된 경우입니다.

노동자의 정의는 일한 대가로 기업으로부터 보수를 받는 사람입니다. 따라서 일한 대가로 보수를 받는다는 사실을 전제로 할 때는 결국 노동자는 노동자일 수밖에 없습니다. 그러니 어떻게 행복해질 수가 있겠습니까. 그렇다면 노동자는 행복해질 수 없을까요? 비록 보수를 받지만 스스로 보람을 가지고 일하면 됩니다. 그런 뒤에 상응하는 대가가 따라오도록 해야 합니다. 물론, 노동자가 즐겁고 행복한 사회가 되려면 정부와 기업인이 더 세심하게 노동자의 형편과 마음을 헤아려야 하는 것은 당연합니다. 그런데 지금 이 사회는 언제부터인지 상호 투쟁 관계가 되어버리고 말았습니다. 진정으로 기업인이 노동자를 생각하고 노동자가 기업인을 생각하는 나라가 되어야 서로가 행복해질 수 있다는 사실을 알았으면 좋겠습니다. 진정 좋은 나라는 농부와 예술인이 행복한 나라입니다. 그런 나라는 노동자도 행복합니다.

상대와 다투지 말라

> 나와 상대가 다투는 순간
> 아무리 옳고 바른 것도
> 판단을 흐리게 하여
> 서로 똑같은 사람이 된다.
> 그럴 때는 한발 물러나서
> 옳고 그름을 잘 판단한 뒤
> 상대를 이해시켜라.

많은 사람이 함께 살다 보니 다툼이 일어나지 않을 수는 없습니다. 자기가 아무리 '바르다 옳다'고 하더라도 남과 다투는 것만은 금해야 합니다. 목소리를 높여 화내거나 폭력을 쓰는 행위는 오히려 자신의 정당성을 낮출 뿐입니다. 일단 다투기 시작하면 감정이 앞서 판단이 흐려지므로 상대와 똑같은 사람이 됩니다. 그럴 때는 한발 물러나서 옳고 그름을 잘 판단한 뒤 자신의 의견을 간략하게 요약해서 상대에게 전달해야 합니다.

남을 도울 때는 합당한 이유가 있어야 한다

> 누군가에게 베풀 때는
> 반드시 그 이유가 있어야 하고
> 누군가로부터 도움을 받을 때도
> 반드시 합당한 이유가 있어야 한다.
> 인과 없는 도움과 베풂은 절대로 없다.
> 이를 잘 다스리지 못하면
> 나중에 자신에게 화로 돌아온다.

남을 도울 일이 있을 때는 반드시 그 이유가 무엇인지 점검한 뒤 도와야 합니다. 자칫하면 순수한 마음으로 도와준 것이 오히려 화로 돌아오는 일이 종종 생기기 때문입니다. 반대로 남으로부터 도움을 받았을 때도 도움받을 이유가 있는지를 생각해야 합니다. 그리고 도움을 받았으면 반드시 고마운 마음을 표현하거나 그에 대한 보답을 생각해야 합니다. 세상은 주고받기입니다. 인과 없는 도움과 베품은 절대로 없습니다, 이것만 잘해도 세상을 잘 살 수 있습니다.

제10의 법칙

:

천기(天氣)와 지기(地氣)를 품어라

천기와 지기를 품어라

> 어릴 땐 부모와 선생으로부터 교육받고
> 사회에서는 상사로부터 교육받아야 한다.
> 이것이 바로 대지의 힘인 지기이다.
> 그 이후에는 하늘의 기운을 받은
> 스승으로부터 가르침을 받아야 한다.
> 이것이 바로 하늘의 힘인 천기이다.
> 지기와 천기가 잘 어우러진 사람이 성공한다.

인간은 살아가면서 평생 '대지'와 '하늘'로부터 기氣를 받습니다. 그리고 때와 장소에 따라서 받는 기가 각각 다릅니다. 유아부터 청년까지는 부모와 선생으로부터 기를 받고, 사회로 진출해서는 상사와 선배로부터 받는데 이를 '지기'라고 합니다. 중년 이후에는 하늘의 기운을 받은 스승으로부터 기를 받아야 하는데 이를 '천기'라고 합니다.

몸과 영혼에 '지기'와'천기'가 잘 어우러진 사람이 크게 성공할 수 있습니다. 땅과 하늘의 기운을 온전히 받으려면 널리 세상을 이롭게 하겠다는 홍익인간 정신이 필요합니다. 이것이 바로 정법 공부입니다.

상대를 적으로 만들지 말라

> 적을 한 명 만들면
> 적이 두 명으로 늘어나고
> 나중엔 배수로 늘어난다.
> 우군을 한 명 만들면
> 우군이 두 명으로 늘어나고
> 나중엔 배수로 늘어난다.

복잡한 사회일수록 사람 사귀는 일이 매우 중요합니다. 하물며 남과 척을 짓는 건 더 좋지 않습니다. 관계가 좋은 사람이 일도 잘합니다. 그렇다고 공사公私도 가리지 않고 사람에게 무조건 호의를 베풀라는 건 더더구나 아닙니다. 의리를 중시하되 공사를 잘 분별하여 사귀라는 말입니다. 세상엔 보편적 도리라는 것이 있습니다. 도리란 마땅히 해야 할 일을 가리키는데 사람을 사귈 때는 이 도리를 항상 염두에 둬야 합니다. 예를 들면 아무리 친한 사람일지라도 예의를 지키는 게 우선입니다. 또한 지인이 힘들면 함께 아파하고 즐거운 일이 있으면 함께 즐거움을 나누는 게 도리입니다. 이것만 잘 지키면 당신의 주위에는 좋은 사람들이 가득할 것입니다.

이와 달리 사소한 다툼으로 인해 적을 만들면 나중엔 그 적이 배수로 늘어납니다. 하지만 상대에게 좋은 인상을 남기면 나중에 내 편도 배수로 늘어난다는 것을 명심하세요. 이 또한 대자연의 법칙입니다.

상대를 먼저 배려하라

> 상대와 견해가 다르다고 하더라도
> 상대의 말을 먼저 받아들이고
> 내 의견을 말해도 늦지 않다.
> 상대의 견해를 깊이 생각하지 않고
> 일방적으로 무시하거나 비난하는 것은
> 오히려 내 약점을 드러내는 행동이다.

남과 견해가 다르다고 해서 무조건 반대하거나 반발하는 것은 아주 좋지 못한 행동입니다. 상대의 생각과 행동을 살피고 이를 점검한 뒤에 내 의견을 소상하게 밝히는 자세를 가져야 합니다. 사람이기에 각자가 지닌 생각은 다를 수밖에 없습니다. 상대의 의견을 깊이 생각하지 않고 일방적으로 무시하거나 비난하는 건, 오히려 내가 가진 약점을 상대에게 드러내는 것과 다를 바 없습니다. 대

화로 풀지 못할 것은 하나도 없습니다. 무시와 비난은 좋은 인연을 만들 기회를 놓쳐버릴 수 있으므로 항상 입을 조심해야 합니다.

종교는 기복에서 벗어나야 한다

> 오늘날 종교가 발전하려면
> 기복에서 벗어나
> 자기 수양을 위한
> 생활도生活道로 변해야 한다.

우리는 '신앙이 곧 종교'라고 생각하고 있지만 사실은 그게 아닙니다. 종교는 최고의 윤리이자 도덕입니다. 그런 까닭에 아직 진정한 종교는 이 지구상에 오지 않았다는 생각이 듭니다. 우리가 불상을 보고 절하거나 예수를 믿는 것은 신앙심의 발로입니다.

종교는 '마루 종宗' 가르칠 '교敎'를 쓰고 있듯이 인류에게 진리를 전파하는 가르침이라고 할 수 있습니다. 지금도 이 지구상에 종교전쟁이 끊임없이 일어나는 이유는 종교에 대해 잘못 이해하고 있기 때문입니다. 자신이 믿고 있는 신이 다르다고 해서 서로를 해치는 것이 어찌 종교일 수 있겠습니까? 종교의 진정한 가치는 무엇이 옳고 그름을 가르는 데 있는 게 아니라 대자연의 진리를 스스로 배우고 깨치는 데에 있습니다. 이것이 바른 종교의 길입니다.

우리가 '석가모니를 믿는다, 예수를 믿는다, 알라신을 믿는다.'는 것은 단지 신앙일 뿐입니다. 그렇다고 신앙이 나쁘다는 말이 아닙니다. 그렇지만 종교의 본질은 신앙보다는 자기 수양을 위한 가치를 생산하는 데에 있다는 것입니다. 이젠 종교도 기복에서 벗어나 생활도로 바뀌어야 합니다.

누가 선지식善知識인가

> 지식을 뛰어넘어서
> 진리를 깨친 자가
> 진정한 선지식이다.

선지식은 불교에서 석가모니의 가르침을 다른 사람들에게 전해 진리의 세계로 인도하는 스님을 가리킵니다. 특히 인도의 『마하지관摩訶止觀』에서는 세 종류의 선지식을 지칭하는데 첫 번째는 진리를 배격하는 외도外道로부터 보호하는 지도자, 두 번째는 도반으로서의 친구, 세 번째는 선생이나 교수 등과 같이 학문을 가르치는 사람을 지칭합니다. 하지만 진정한 선지식은 누군가를 보호하고 학문을 배우게 하는 게 아니라 세상을 살아가는데 필요한 바른 도리를 가르치는 스승입니다. 그러므로 단지 많이 배워서 지식이 풍부해 학식이 높다고 해서 선지식이 될 수 있는 것은 아닙니다. 우리가 요구하는 선지식은 그런 지식을 뛰어넘어서 대자연의 이치를 깨달아 진리를 제대로 알려주는 지도자입니다. 여기에서 대자연의 이치란 바로 지구와 우주를 관통하는 눈에 보이지 않는 삶의 진리를 가리킵니다. 그렇기에 아직도 이 세상에는 선지식이 나타나지 않았습니다.

종교의 본질

> 예수가 십자가에 못 박혀
> 피를 흘리고 죽은 까닭은
> 스스로 깨끗해지기 위해서이다.
> 석가모니가 보리수 아래에서
> 피골이 상접하도록 정진한 것은
> 스스로 깨치기 위해서이다.

예수와 석가모니, 공자와 소크라테스를 4대 성인이라고 지칭합니다. 이것은 일본의 사상가인 우치무라 간조가 1908년 책에서 소개한 이후 오차츠지 테츠로라는 윤리 사상가에 의해 동양에 널리 퍼진 것입니다. 실제론 독일의 실존주의자인 칼 야스퍼스가 『위대한 사상가들』이라는 책에서 제일 먼저 언급했습니다. 성인으론 이외에도 칸트, 무함마드, 플라톤, 아리스토텔레스 등도 꾸준히 거

론되고 있지만 무의미한 논란입니다.

그렇지만 우리가 성인들에게서 분명히 배워야 할 것이 있습니다. 그것은 바로 자각입니다. 자기 스스로 깨어 있지 않으면 안 된다는 뜻입니다. 자각한다는 것은, 새로운 것에 다가가고 있다는 뜻입니다. 이것이 곧 성공의 힘입니다.

예수가 십자가에 못 박혀 죽은 건 자신의 억울한 죽음을 세상에 알리기 위함이 아니라 피를 흘려 스스로 몸이 깨끗해지기 위해서입니다. 또한 석가모니가 보리수 아래에서 피골이 붙을 정도로 먹지 않고 수행한 건 스스로 깨치기 위함입니다. 여기에 우리가 알아야 할 것이 하나가 더 있습니다. 이러한 성인들은 남들만큼 지식을 가지고 있으나 정해진 답을 그대로 학습하지 않았다는 사실입니다. 그래서 그들은 누군가가 질문을 던지면, 그 답을 주지 않고 스스로 찾을 수 있는 길만을 가르쳐 줄 뿐이었습니다. 그래야만 누구나 성장할 수 있기 때문이지요.

마음의 여유를 가져라

마음의 여유를 가지는
습관은 매우 중요하다.
힘들고 어려운 문제들도
시간을 두고 생각하면
어느 순간 쉽게 풀린다.

일을 함에 있어 항상 마음의 여유를 가지되 도리에 어긋남이 없는지 스스로 잘 살펴보아야 합니다. 마음에 여유가 없는 사람은 매사에 중심을 잃고 우왕좌왕하다가 중요한 것을 놓치기 쉽고 판단력마저 흐려져 실패할 때가 많습니다.

그렇다고 너무 여유를 부리는 것도 좋은 방법이 아닙니다. 어떤 일을 할 때는 마음의 여유를 가지고 철저히 준비하되 자신의 길이 옳다고 생각하면 거침없이 앞으로 나아가야 성공할 수 있습니다. 이렇듯 마음의 여유가 있는 사람과 없는 사람의 결과는 시간이 지나면 엄청난 차이가 난다는 사실을 명심해야 합니다.

인간은 대자연을 운용하는 주체다

> 인간은 나약한 존재가 아니라
> 하느님이 창조하신 대자연과 우주를
> 운영하는 위대한 존재이다.
> 인간은 항상 바른 삶을 실천하여
> 세상을 널리 이롭게 해야 한다.
> 이것이 바로 홍익인간의 길이다.

하느님은 타종교에서 말하는 하나님을 가리키는 것이 아니라 대자연과 우주를 창조한 주체자입니다. 그리고 인간은 대자연과 우주 앞에 한갓 나약한 존재가 아니라 그것을 운영하는 위대한 존재입니다. 홍익인간이란 세상을 널리 이롭게 하는 사람을 뜻합니다. 이 세상이 행복으로 가득하려면 대자연과 우주를 운영하는 우리 인간들이 바르게 살아야만 하는 것입니다.

자신의 영적 에너지를 잘 다스려라

사람은 동물과 달리
영적靈的 에너지를 가지고 있으며
많이 배운 지식인들이 더 많으나
쓸데없는 분별심으로 인해
영적인 에너지를 스스로 막아버리므로
무속인을 찾게 되는 것이다.

사람은 '내적인 힘'과 '영적인 힘'을 동시에 가지고 있습니다. 그렇다면 '내적인 힘'은 무엇이고 '영적인 힘'은 무엇일까요? '내적인 힘'은 꾸준하게 책을 읽고 공부하여 쌓인 지식을 통해 만들어진 에너지이지만 '영적인 힘'은 명상이나 기도와 같은 꾸준한 자기 성찰로 인해 내면에 쌓이는 에너지입니다. 예를 들면 교수 같은 지식인은 '내적인 힘'이 강하고 무속인은 '영적인 힘'이 강하다고 볼 수 있습니다. 그러나 애초부터 지식인은 논리와 지식으로만 세상을 바라보거나 때로는 쓸데없는 분별심으로 인해 자신이 가진 영적 에너지를 스스로 깎거나 막아버림으로 사용할 시간이 없습니다. 그 때문에 몸과 마음이 힘들면 무속인을 자주 찾는 것입니다. 세상을 움직이는 건 지식만이 아닙니다. 마음과 영혼을 다스리는 영적인 에너지도 사람에겐 가끔은 필요합니다. 그래서 종교와 무속이 존재하는 것입니다.

자기만의 신 패러다임을 찾아라

> 오늘날과 같은 지식사회에서는
> 개인의 역할이 아주 중요하다.
> 이런 사회에서 성장하려면
> 자기만의 신 패러다임을 찾아야 한다.

미국의 과학자이자 철학자인 토머스 쿡은 그의 저서 《과학혁명의 구조》(1962년)에서 '패러다임'이란 용어를 처음 제시했습니다. 그는 이 책에서 '패러다임'을 '한 시대를 지배하는 과학적 인식과 이론, 관습과 사고, 가치관 등이 결합 된 총체적인 개념'이라고 정의했습니다. 하지만 이것은 영원히 지속될 수 없으며 시대에 따라 늘 변화한다고 합니다.

이젠 그가 '패러다임'을 언급한 지, 60여 년이라는 긴 세월이 흘렀습니다. 세계의 문화는 눈부시게 발전했지만,

대한민국과 개인은 여전히 과거의 '패러다임'에 묶여 한 발자국도 앞으로 나아가지 못하고 있습니다. 도대체 왜 그럴까요? 그것은 바로 대한민국을 좌지우지하는 정치인들의 잘못된 정책과 행동 때문입니다. 비록, 상황이 그렇다고 하더라도 개인은 성장을 위해 자신만의 신 '패러다임'을 찾아 나서야 합니다.